Sabine Glas-Peters
Angela Pude
Monika Reimann

MENSCHEN

Deutsch als Fremdsprache
Arbeitsbuch

Hueber Verlag

Literaturseiten:
Wiedersehen in Wien: Urs Luger, Wien.

Fotoproduktion/Organisation:
Iciar Caso, Wessling

Fotograf:
Florian Bachmeier, Schliersee

8. 7. 6. | Die letzten Ziffern
2021 20 19 18 17 | bezeichnen Zahl und Jahr des Druckes.
Alle Drucke dieser Auflage können, da unverändert,
nebeneinander benutzt werden.
1. Auflage

Umschlaggestaltung: Sieveking · Agentur für Kommunikation, München
Zeichnungen: Michael Mantel, Barum
Layout und Satz: Sieveking · Agentur für Kommunikation, München
Verlagsredaktion: Jutta Orth-Chambah, Marion Kerner, Gisela Wahl, Hueber Verlag, Ismaning
Druck und Bindung: Westermann Druck GmbH, Braunschweig
Printed in Germany
ISBN 978–3–19–511901–6

Art. 530_07535_001_06

VORWORT

Das Arbeitsbuch *Menschen* dient dem selbstständigen Üben und Vertiefen des Lernstoffs im Kursbuch.

Aufbau einer Lektion:

Basistraining: Vertiefen und Üben von Grammatik, Wortschatz und Redemitteln. Es gibt eine Vielfalt von Übungstypologien, u.a. Aufgaben zur Mehrsprachigkeit (Bewusstmachen von Gemeinsamkeiten und Unterschieden zum Englischen und/ oder anderen Sprachen) und Aufgaben füreinander (gegenseitiges Erstellen von Aufgaben für die Lernpartnerin / den Lernpartner).

Training Hören, Lesen, Sprechen und Schreiben: Gezieltes Fertigkeitentraining, das unterschiedliche authentische Textsorten und Realien sowie interessante Schreib- und Sprechanlässe umfasst. Diese Abschnitte bereiten gezielt auf die Prüfungen vor und beinhalten Lernstrategien und Lerntipps.

Training Aussprache: Systematisches Üben von Satzintonation, Satzakzent und Wortakzent sowie Einzellauttraining.

Test: Möglichkeit für den Lerner, den gelernten Stoff zu testen. Der Selbsttest besteht immer aus den drei Kategorien *Wörter, Strukturen und Kommunikation*.
Je nach Testergebnis stehen im Internet unter *www.hueber.de/menschen/lernen* vertiefende Übungen in drei verschiedenen Schwierigkeitsgraden zur Verfügung.

Lernwortschatz: Der aktiv zu lernende Wortschatz mit Angaben zum Sprachgebrauch in der Schweiz (CH) und in Österreich (A), sowie Tipps zum Vokabellernen.

Modulseiten:
Weitere Aufgaben, die den Stoff des Moduls nochmals aufgreifen und kombiniert üben.

Wiederholungsstation Wortschatz/Grammatik bietet Wiederholungsübungen zum gesamten Modul.

Selbsteinschätzung: Mit der Möglichkeit, den Kenntnisstand selbst zu beurteilen.

Rückblick: Abrundende Aufgaben zu jeder Kursbuchlektion, die den Stoff einer Lektion noch einmal in zwei unterschiedlichen Schwierigkeitsstufen zusammenfassen.

Literatur: In unterhaltsamen Episoden wird eine Fortsetzungsgeschichte erzählt.

Piktogramme und Symbole

Hörtext auf CD ▶ 2 02

Kursbuchverweis KB 1

Aufgaben zur Mehrsprachigkeit

Aufgaben füreinander

Lernstrategien und Lerntipps — TIPP: Beschreiben Sie Wörter.

Regelkasten für Phonetik — REGEL: Vor Wörtern mit Vokal beginnt man neu. Das heißt: Man macht eine kleine Sprech-________.

Vertiefende Aufgabe

Erweiternde Aufgabe

Übungen in drei Schwierigkeitsgraden zu den Selbsttests und die Lösungen zu allen Aufgaben im Arbeitsbuch finden Sie im Internet unter *www.hueber.de/menschen/lernen*.

INHALT

Wir suchen das Hotel Maritim.

KB 1

1 Zeichnen Sie.

WÖRTER

a Biegen Sie links ab. ↰
b Fahren Sie circa noch 200 Meter geradeaus. ____
c Wenden Sie hier. ____
d Fahren Sie nach rechts. ____

KB 2

2 Wo sind die Bälle? Ergänzen Sie.

WÖRTER

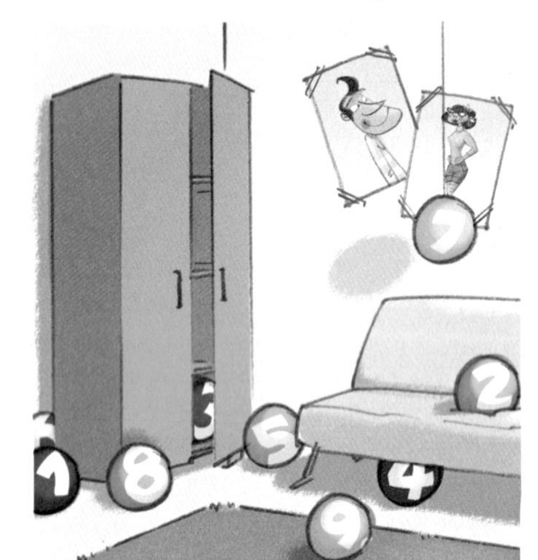

Ball 1 ist neben ______ dem Schrank.
Ball 2 ist ______ der Couch.
Ball 3 ist ______ dem Schrank.
Ball 4 ist ______ der Couch.
Ball 5 ist ______ der Couch und dem Schrank.
Ball 6 ist hinter ______ dem Schrank.
Ball 7 ist ______ der Couch.
Ball 8 ist an ______ dem Schrank.
Ball 9 ist ______ der Couch.

KB 3

3 In der Stadt.

WÖRTER

a Ergänzen Sie das Rätsel.

1 Sie können hier essen. _ _ s _ _ _ _ _ _ _
2 Anderes Wort für *Stadtmitte*. _ _ _ _ r _ _
3 Hier fahren Züge ab und es kommen Züge an. _ _ h _ _ _ _
4 Hier bekommen Sie Geld. _ _ n _
5 Hier können Sie Briefmarken kaufen. _ _ _ t
6 Rot: Sie bleiben stehen. Grün: Sie können fahren. _ _ _ e _
7 Hier können Sie einen Tee oder Kaffee trinken. C a f é

b Ergänzen Sie die Wörter aus a und vergleichen Sie.

Deutsch	Englisch	Meine Sprache oder andere Sprachen
1 Restaurant	restaurant	
2	center	
3	station	
4	bank	
5	post office	
6	traffic light	
7	coffee bar	

KB 5 **4** **Ergänzen Sie den Artikel.**

STRUKTUREN

a Entschuldigen Sie bitte, wo ist denn hier die Polizei? – Die ist ganz in der Nähe, neben dem Hotel „Globus".
b Und das Hotel „Globus"? – Das ist vor ________ Restaurant „Zur Glocke".
c Und das Restaurant „Zur Glocke"? – Das ist zwischen ________ Dom und ________ Bank.
d Und wo ist der Dom? – Na dort, schauen Sie, gleich hinter ________ Brücke.
e Danke! Und gibt es hier auch eine Post? – Ja, gleich dort an ________ Ampel.

KB 5 **5** **Ergänzen Sie die Präposition und den Artikel.**

STRUKTUREN

Wo ist denn …

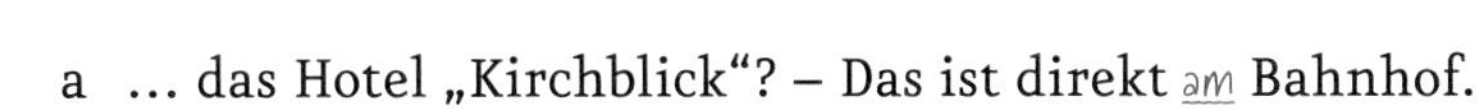

a … das Hotel „Kirchblick"? – Das ist direkt am Bahnhof.

b … die Post? – Die ist ____________ Polizei und ____________ Café „Glockner".

c … die Mozartstraße? – Die ist ____________ Brücke.

d … Wuffel? – Er wartet ____________ Ampel.

e … Miezi? – Sie sitzt ____________ Brücke.

f … die Frau? – Sie ist ____________ Dom.

g … der Mann? – Er ist ____________ Bank.

KB 5 **6** **Zeichnen Sie für Ihre Partnerin / Ihren Partner Orte in der Stadt auf Kärtchen ähnlich wie in 5.**

Ihre Partnerin / Ihr Partner schreibt einen Satz.

KB 5

SCHREIBEN

7 Wie komme ich zu ...?

Lesen Sie die SMS. Was antwortet Marina? Schreiben Sie Marinas E-Mail fertig.

Brücke | Ampel | links abbiegen | Polizei | Domplatz | nach rechts fahren | Hotel | mein Haus

Liebe Marina,
wie kommen wir denn am Samstag zu Dir?
Schickst Du uns bitte eine Wegbeschreibung?
LG Susanna+Philipp

Von: Marina Kreuzner
An: philippX@web.de
Betreff: Besuch

Liebe Susanna, lieber Philipp,
den Weg kann ich Euch leicht beschreiben. Meinburg ist nicht groß und ich wohne im Zentrum. Ihr fahrt nach Meinburg und seht gleich eine Brücke. ...

____

____

____

Bis Samstag! Viele Grüße, Marina

KB 7

KOMMUNIKATION

8 Ordnen Sie die Antworten zu.

ist sehr nett | sehen Sie schon | ~~bin fremd hier~~ | Wenden Sie hier | Trotzdem: Dankeschön | bin nicht von hier | ist ganz in der Nähe

a ■ Können Sie mir helfen? Wo ist das Cafe „Glockner"?
▲ Tut mir leid, ich bin fremd hier. /
Ich ______________________.

b ■ Ja, das ist gleich die nächste Straße links.
▲ Vielen Dank, das ______________________.

c ■ Oh. Tut mir leid. Das weiß ich nicht.
▲ Schade. ______________________!

d ■ Kann ich Sie etwas fragen? Ich suche den Bahnhof.
▲ Fahren Sie zwei Kilometer geradeaus. Dann ______________________ den Bahnhof.

e ■ Kennen Sie das Restaurant „Schönblick"?
▲ Ja, das ______________________. ______________________ und fahren Sie zurück bis zur Ampel und dann links.

KB 9

KOMMUNIKATION

9 Finden Sie passende Fragen zu den Antworten.

a Entschuldigen Sie bitte. Kann ich Sie etwas fragen? – Ja, kein Problem.
b Können Sie mir ______________________? – Ja, gern.
c Kennen Sie ______________________? – Ja, das Hotel „Marienhof" ist im Zentrum.
d Eine ______________________. Wo ist denn hier die Bank? – Die ist gleich hier.
e Haben Sie einen ______________________ Zeit? – Klar.

TRAINING: HÖREN

▶ 2 02 **1** **Welche Orte/Einrichtungen in der Stadt hören Sie? Markieren Sie.**

Restaurant | Bahnhof | Kino | Dom | Schwimmbad | Post | Brücke | Bank | Polizei | Ampel | Hotel | Theater

TIPP
Sie finden das Hören schwer? Achten Sie beim Hören auf die wichtigen Wörter.
Wichtige Wörter in Wegbeschreibungen sind:
– Einrichtungen in der Stadt: Bahnhof, Kino, Dom …
– Richtungsangaben: rechts, links, geradeaus …

▶ 2 02 **2** **Roland möchte Simon besuchen. Er steht am Bahnhof und fragt nach dem Weg. Hören Sie noch einmal und zeichnen Sie den Weg in den Stadtplan. Wo ist die Albachstraße?**

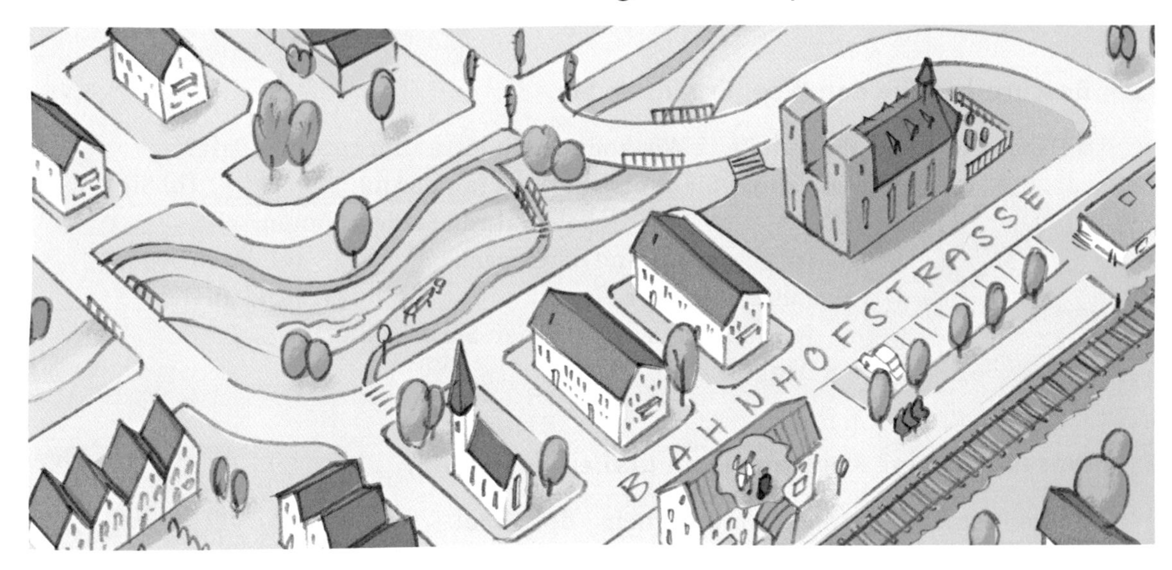

TRAINING: AUSSPRACHE *Diphthonge „ei", „eu", „au"*

▶ 2 03 **1** **Hören Sie und sprechen Sie nach.**

nein | beschreiben | Polizei | beide | vorbei
ankreuzen | deutsch | Freund | neun | Euro
Auto | auch | Frau | geradeaus | auf

▶ 2 04 **2** **Hören Sie noch einmal und ergänzen Sie die Regel.**

REGEL
Man hört „ai", man schreibt meistens: ______
Man hört „oi", man schreibt meistens: ______
Man hört „au" und schreibt auch: ______

▶ 2 05 **3** **Ergänzen Sie „au", „ei" oder „eu". Hören Sie dann und vergleichen Sie.**

a S____d ihr verh____ratet? – N____n, nur Arb____tskollegen.
b Zur Poliz____? Zuerst gerade____s und dann am Hotel vorb____.
c Was kostet das ____to? – N____nzehnt____send ____ro.
d Wie h____ßt das ____f D____tsch? – Tut mir l____d. Das w____ß ich ____ch nicht.

▶ 2 06 **Hören Sie noch einmal und sprechen Sie nach.**

TEST

1 Ordnen Sie zu.

WÖRTER

Stadtplan | Post | Bahnhof | Stadtmitte | ~~Hotel~~ | Bank

a ■ Wie gefällt Ihnen das Hotel „Maritim"? ▲ Sehr gut, die Zimmer dort sind wirklich schön.
b ■ Können Sie bitte Briefmarken mitbringen?
▲ Ja, gerne. Ich gehe heute Vormittag zur ______________ .
c ■ Oh je, mein Zug fährt in 30 Minuten. Wie komme ich zum ______________?
d ■ Können wir Sie etwas fragen? Wir suchen den Dom. ▲ Der ist in der ______________ .
e ■ Ich habe kein Geld. Wo gibt es hier eine ______________ ? ▲ Gleich neben der Brücke.
f ■ Entschuldigung, kennen Sie die Frankfurter Straße?
▲ Nein, leider nicht. Aber hier ist ein ______________ .

_ / 5 PUNKTE

2 Beschreiben Sie den Weg. Ergänzen Sie.

WÖRTER

■ Haben Sie einen Moment Zeit? Wie komme ich bitte zum Internet-Café?
▲ Fahren Sie zuerst geradeaus (a), dann ______________ (b) Sie ______________ (c) ab. Fahren Sie jetzt einen ______________ (d) geradeaus und dann nach ______________ (e). Nach 500 m fahren Sie über eine ______________ (f) und an der ______________ (g) wieder rechts, dann sehen Sie das Café.
■ Danke schön!

_ / 6 PUNKTE

3 Was ist richtig? Kreuzen Sie an und ergänzen Sie.

STRUKTUREN

a Die Post ist ☒ unter ○ zwischen dem Hotel.
b Das Café ist ○ hinter ○ neben d______ Bank.
c Die Polizei ist ○ vor ○ auf d______ Bahnhof.
d Der Dom ist ○ in ○ an d______ Stadtmitte.
e Der Bahnhof ist ○ vor ○ hinter d______ Polizei.
f Das Hotel ist ○ über ○ an d______ Post.

_ / 10 PUNKTE

4 Was sagen die Personen? Ergänzen Sie.

KOMMUNIKATION

1 ■ K_ _ _ _ _ (a) Sie mir bitte h_ _ _ _ _ (b)? Ich s_ _ _ _ (c) das Theater.
▲ Ja gern. F_ _ _ _ _ (d) Sie die nächste Straße links. Dann s_ _ _ _ (e) Sie das Theater schon.
■ S_ _ _ n_ _ _ (f)! Vielen Dank.

2 ▲ Kann ich Sie etwas f_ _ _ _ _ (a)? Wo ist das Hotel „Vier Jahreszeiten"?
■ T_ _ mir l_ _ _ (b). Ich bin nicht von hier.
▲ T_ _ _ _ _ _ _ (c): Danke schön.

_ / 9 PUNKTE

Wörter	Strukturen	Kommunikation
0–5 Punkte	0–5 Punkte	0–4 Punkte
6–8 Punkte	6–7 Punkte	5–7 Punkte
9–11 Punkte	8–10 Punkte	8–9 Punkte

www.hueber.de/menschen/lernen

LERNWORTSCHATZ

1 Wie heißen die Wörter in Ihrer Sprache? Übersetzen Sie.

In der Stadt

Ampel die, -n ______
CH: auch: Lichtsignal das, -e
Bank die, -en ______
Brücke die, -n ______
Dom der, -e ______
Hotel das, -s ______
Mitte die, -n ______
die Stadtmitte ______
Plan der, ⸚e ______
der Stadtplan ______
Polizei die ______
Post die ______
Zentrum das, Zentren ______

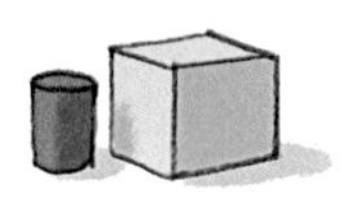

Wegbeschreibung

Kilometer der, - ______
Meter der, - ______
Nähe die ______
in der Nähe ______
Weg der, -e ______

ab·biegen, ist abgebogen ______
beschreiben, hat beschrieben ______
weiter·fahren, ist weitergefahren ______
wenden, hat gewendet ______
zurück·fahren, ist zurückgefahren ______

fremd ______
links ______
nach links ______
rechts ______
nach rechts ______

Sich entschuldigen und danken

Ach so. ______
Danke schön! ______
Bitte, gern. ______
A/CH: Bitte, gern geschehen.
Ja, bitte? ______
Kein Problem. ______
Schade. ______
nett ______
Sehr nett! ______

Wo?

an ______
auf ______
hinter ______
in ______
neben ______
über ______
unter ______
vor ______
zwischen ______

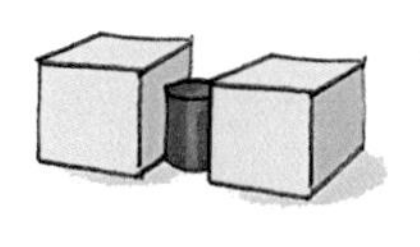

Weitere wichtige Wörter

Frage die, -n ______
Moment der, -e ______
Einen Moment! ______

an·machen, hat angemacht ______
A: ein·schalten, hat eingeschaltet
finden, hat gefunden ______
fragen, hat gefragt ______
helfen, du hilfst, er hilft, hat geholfen ______
stimmen, hat gestimmt ______

beide ______
die beiden ______

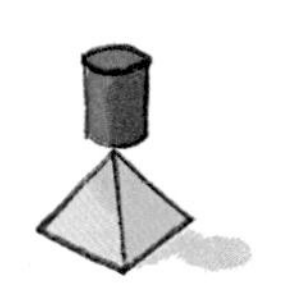

TIPP Wie kann ich mir ein Wort merken? Überlegen Sie sich eine Hilfe.

Links oder rechts? Das ist ganz einfach. L wie links.

2 Welche Wörter möchten Sie noch lernen? Notieren Sie.

Wie findest du Ottos Haus?

KB 2 **1** **Haus und Garten. Ordnen Sie zu.**

WÖRTER

Haus | Garten | Garage | Treppe | Baum | Fenster | ~~Balkon~~

der Balkon

KB 3 **2** **Wie heißen die Zimmer? Notieren Sie.**

WÖRTER

a Hier stehen der Kühlschrank und hier kocht man: Küche
b Die Kinder spielen und schlafen hier: ____________
c Sie gehen ins Haus und kommen zuerst in dieses Zimmer:
____
d Hier können Sie fernsehen, lesen oder Freunde treffen. Oft stehen hier ein Sofa und ein Sessel: ____________
e In diesem Raum gibt es ein Bett und einen Schrank: ____________

KB 4 **3** **Antworten Sie mit dem Genitiv wie im Beispiel.**

STRUKTUREN

a Wie findest du den Garten von Maximilian? – Maximilians Garten ist sehr schön.
b Und magst du das Haus von Maximilian? – Nein, ich finde ____________ nicht so schön.
c Wie heißt der Nachbar von Maximilian? – ____________ heißt Jan.
d Ist die Nachbarin von Maximilian verheiratet? – Nein, ____________ ist geschieden.

KB 4 **4** **Schreiben Sie eigene Sätze zu Sophie wie in 3 und tauschen Sie mit Ihrer Partnerin / Ihrem Partner. Sie/Er ergänzt den Genitiv.**

KB 5 **5** **Schreiben Sie.**

STRUKTUREN

a b c d e

	Was sucht Otto?	Wo sind Ottos Sachen?	
a	Sein Auto	Sein Auto	steht vor dem Café.
b	____________	____________	sind auf dem Tisch.
c	____________	____________	ist in der Tasche.
d	____________	____________	ist neben dem Schlüssel.
e	____________	____________	ist unter der Zeitung.

KB 6 STRUKTUREN

6 *sein* oder *ihr*?

a Ergänzen Sie.

Das ist/sind …

seine Brille	______e Kinder	ihre Geldbörse
______ Fahrrad	______ Schirm	______ Fotoapparat
______ Auto	______e Taschen	

KB 6 STRUKTUREN ENTDECKEN

b Notieren Sie die Nominative aus **a**. Und ergänzen Sie dann die Akkusative.

	Nominativ		**Akkusativ**	
	♀	♂	♀	♂
maskulin	ihr Schirm		ihren Schirm	
neutral				
feminin				
Plural				

KB 6 STRUKTUREN

7 Ergänzen Sie *sein/ihr* in der richtigen Form.

Das ist Bruno. Bruno wohnt genau wie Otto und Vanilla in Glückstadt. Sein (a) Haus liegt neben Ottos Haus. Er ist geschieden, aber er wohnt nicht allein. In dem Haus wohnt auch ______ (b) neue Partnerin Mia. Mia hat zwei Kinder. ______ (c) Tochter heißt Sandra und ist 8 Jahre alt und ______ (d) Sohn heißt Mark und ist 4 Jahre alt. Sandra und ______(e) Bruder wohnen im ersten Stock. Bruno liebt besonders ______ (f) Arbeitszimmer im Erdgeschoss. Dort steht ______ (g) Computer. Er surft gern im Internet und spielt gern Computerspiele. ______ (h) Partnerin ist gern im Garten. Sie findet Computerspiele langweilig. Aber sie liebt ______ (i) Garten und ______ (j) Blumen.

KB 6 STRUKTUREN

8 Ergänzen und vergleichen Sie.

Deutsch		**Englisch**		**Meine Sprache oder andere Sprachen**	
Nominativ Das ist/sind …	Akkusativ Sie / Er sucht …	Nominativ This is / These are …	Akkusativ She / He is looking for …	Nominativ	Akkusativ
ihr______ Schirm	ihren______ Schirm	her umbrella	her umbrella		
s______ Auto	s______ Auto	his car	his car		
i______ Brille	i______ Brille	her glasses	her glasses		
s______ Kinder	s______ Kinder	his children	his children		

KB 6 KOMMUNIKATION

9 Schreiben Sie ein Gespräch.

a finden / das / Sofa / Wie / du / ?
▲ Wie findest du das Sofa?
b aussehen / toll / Sofa / Das / .
■ ______________________
c finden / Sessel / du / wie / Und / den / ?
■ ______________________
d mögen / ich / Den Sessel / gar nicht / .
▲ ______________________
e Ich / toll / finden / den Sessel / .
■ ______________________

KB 8 WÖRTER

10 Welche Wörter aus Wohnungsanzeigen sind hier versteckt? Markieren und ergänzen Sie.

olepvermietetwatbezahltkamamöbliertgupimatquadratmeterersanzeigemnichul
mieteambultlichtendwassererersamüllsonavermieterinkale

a Frau Gruber hat ein Haus. Es ist sehr groß. Es hat 150 Quadratmeter.
b Frau Gruber braucht nicht alle Zimmer. Die Zimmer im ersten Stock __________ sie.
c In den Zimmern stehen auch Möbel. Sie vermietet die Zimmer __________.
d Im letzten Jahr hat Fritzi dort gewohnt. Er mag die Wohnung und findet seine __________ Frau Gruber sehr nett.
e Jetzt sind die Zimmer frei. Frau Gruber sucht einen Mieter. Die __________ steht in der Osttiroler Zeitung.
f Die __________ für die Zimmer ist nicht sehr hoch.
g Der Mieter __________ noch 50,– Euro für __________, __________ und __________.

KB 8 ▶ 2 07 HÖREN

11 Hören Sie und kreuzen Sie an. Welche Anzeige passt?

○ Schöne 2-Zimmer-Wohnung frei ab 1.5.
45 m² mit großem Balkon
Möbliert, mit Stellplatz in der Tiefgarage
Miete 380,– € inkl. Nebenkosten

○ 2-Zimmer-Wohnung zu vermieten.
55 m², Balkon, Küche und Bad.
Miete 450,– € + Nebenkosten

KB 8 ▶ 2 07 HÖREN

12 Hören Sie noch einmal und kreuzen Sie an. Was ist richtig?

a Die Wohnung ist ○ möbliert. ○ leer.
b Dalva findet den Balkon ○ super. ○ nicht so toll.
c Das Schlafzimmer ist nicht ○ groß. ○ klein.
d Neben dem Wohnzimmer ist ○ die Küche. ○ das Bad.

TRAINING: LESEN

1 Lesen Sie die E-Mail und notieren Sie: Was für eine Wohnung sucht Stefan?

Neue Wohnung
Größe? __________ Zimmer
Miete? __________ €
Ab wann? __________

Liebe Leute! Hilfe!!!
Wir suchen dringend eine 3 bis 4-Zimmer-Wohnung (ca. 100 m²) ab 1. April. Die Wohnung sollte maximal 1000 Euro inkl. Nebenkosten kosten. Hat jemand einen Tipp? Dann meldet Euch doch bitte so schnell wie möglich.
Grüße von Stefan

TIPP: Sie kennen nicht alle Wörter? Das ist kein Problem. Sie können die Aufgabe auch so lösen.

2 Was antworten Stefans Freunde?

a Lesen Sie und markieren Sie die wichtigen Informationen. Ergänzen Sie dann die Tabelle.

1
Hing heute an der Ampel. Super günstige Wohnung von privat. 3,5 Zimmer. Frei ab 1. Mai. Ruf doch mal an: 0173 / 678543
Vielleicht ist das etwas für Euch!
Viel Glück! Tina

2
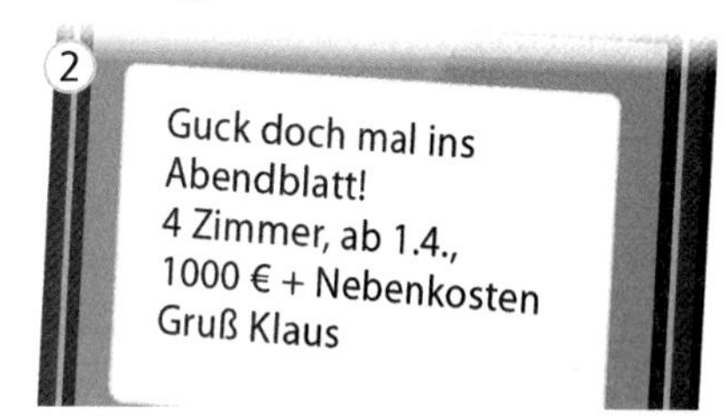

3
Lieber Stefan,
ich habe den ultimativen Tipp für Dich! Die Nachbarn von meiner Schwester ziehen nach England und suchen dringend einen Nachmieter zum 1. April. Tolle 4-Zimmer-Wohnung mit Südbalkon. Die Wohnung kostet nur 700 € + Nebenkosten. Ruf meine Schwester am besten heute noch an.
LG Chris

	Wohnung 1 (Notizzettel)	Wohnung 2 (SMS)	Wohnung 3 (E-Mail)
Größe?			
Miete pro Monat?	/		
Ab wann?			

b Welche Wohnung passt am besten? Kreuzen Sie an.

Wohnung ◯ 1 ◯ 2 ◯ 3

TRAINING: AUSSPRACHE *Plural mit „ä" und „äu"*

1 Ergänzen Sie den Plural.

a → ä		au → äu	
das Bad	die ________	das Haus	die ________
der Wald	die ________	der Baum	die ________
der Garten	die ________	der Raum	die ________

▶ 2 08

2 Hören Sie die Wörter aus 1 und sprechen Sie nach.

▶ 2 09

3 Hören Sie das Gedicht und sprechen Sie dann.

Mein Traumhaus
viele Räume,
zwei Bäder
und Aufzug,
im Garten
Bäume.
Alles ganz neu!

TEST

1 Markieren Sie die Wörter und ergänzen Sie.

WÖRTER

SCHLAFZIMMERWOHNUNGTOILETTEKINDERZIMMERGARTENERDGESCHOSSWOHNZIMMER

„Ich bin Lena Peterson. Ich wohne mit meiner Familie in der Blumenstraße 44, im Erdgeschoss (a). So sieht die ____________ (b) aus: Links vom Flur ist die Küche, das Bad mit ____________ (c) und das ____________ (d) von meinen Eltern. Rechts vom Flur ist das ____________ (e). Dort stehen eine Couch, zwei Sessel, ein Bücherregal und ein Fernseher. Daneben ist das ____________ (f), hier schlafen mein Bruder Manuel und ich. Hinter dem Haus ist ein ____________ (g) mit vielen Bäumen."

_ / 6 PUNKTE

2 Ergänzen Sie *sein* und *ihr* in der richtigen Form.

STRUKTUREN

Lena erzählt weiter: „Im ersten Stock wohnt Maria. Ich liebe ihre (a) Wohnung. Maria hat viele Bilder und ____________ (b) Möbel sind sehr modern. Sie wohnt zusammen mit Florian, das ist ____________ (c) Freund. Florian spricht auch Italienisch. ____________ (d) Eltern kommen aus der Schweiz, aus Lugano. Neben Maria wohnt Herr Wörle. Ich finde ____________ (e) Wohnzimmer gemütlich. Herr Wörle geht oft spazieren und besucht ____________ (f) Sohn Wolfgang. Im zweiten Stock wohnen meine Freundin Carla und ____________ (g) Mutter."

_ / 6 PUNKTE

3 Lesen Sie Aufgabe 2 noch einmal und ergänzen Sie die Namen.

STRUKTUREN

a Maria ist Lenas Nachbarin.
b Florian ist ____________ Freund.
c Herr Wörle ist ____________ Vater.
d Lena ist ____________ Freundin.

_ / 3 PUNKTE

4 Ordnen Sie zu.

KOMMUNIKATION

sieht wirklich toll aus | sie sind hässlich | es ist sehr schön hier | mag ich gar nicht | das ist langweilig | die Idee ist cool

a ■ Dein Balkon ist toll, die Blumen sind wirklich schön.
☺ ▲ Ja, ________________________.

b ■ Ich liebe Davids Haus, es hat sieben Zimmer und zwei Bäder!
☹ ▲ Sein Haus ist nicht schlecht, aber seinen Garten ________________________.

c ■ Möchtest du einen Fußballplatz vor dem Haus?
☺ ▲ Sehr gern, ________________________.

d ☺ ■ Katharinas Küche ________________________.
▲ Das ist richtig, die Küche ist sehr modern.

e ■ Die Wohnung ist möbliert, das ist praktisch.
☹ ▲ Leider sehen die Möbel nicht so schön aus, ________________________.

f ■ Mein Traumhaus steht im Wald, ich liebe die Natur.
☹ ▲ Nur Natur – ________________________!

_ / 6 PUNKTE

Wörter		Strukturen		Kommunikation	
●	0–3 Punkte	●	0–4 Punkte	●	0–3 Punkte
◐	4 Punkte	◐	5–7 Punkte	◐	4 Punkte
○	5–6 Punkte	○	8–9 Punkte	○	5–6 Punkte

LERNWORTSCHATZ

14

1 Wie heißen die Wörter in Ihrer Sprache? Übersetzen Sie.

Haus/Wohnung
Haus das, ¨er
Wohnung die, -en
Balkon der, -e
Baum der, ¨e
Blume die, -n
Erdgeschoss das, -e
A/CH: Parterre das, -n
A: Erdgeschoß das, -e
Fenster das, -
Garage die, -n
Garten der, ¨
Keller der, -
Licht das, -er
Miete die, -n
Müll der
A: auch: Mist der
CH: auch: Abfall der, ¨e
Nachbar der, -n / die Nachbarin, -nen
Quadratmeter der, -
Stock der, die Stockwerke
Treppe die, -n
A: Stiege die, -n
Vermieter der, -
Wasser das
vermieten, hat vermietet
gemütlich
leer
möbliert

Zimmer
Arbeitszimmer das, -
CH: Büro das, -s
Bad das, ¨er
CH: auch: Badzimmer das, -
Flur der, -e
A: Gang der, ¨e
CH: Gang der, ¨e oder Korridor der, -e
Kinderzimmer das, -
Küche die, -n
Schlafzimmer das, -
Toilette die, -n
Wohnzimmer das, -
CH: auch: Stube die, -n
Zimmer das, -

In der Natur
Berg der, -e
Fluss der, ¨e
Meer das, -e
Wald der, ¨er

Wo ...?
hinten
oben
unten
vorn

Weitere wichtige Wörter
Anzeige die, -n
Fabrik die, -en
Familie die, -n
Stadt die, ¨e
Zelt das, -e
aus·sehen, hat ausgesehen
bezahlen, hat bezahlt
stehen, hat gestanden
A: ist gestanden

2 Welche Wörter möchten Sie noch lernen? Notieren Sie.

TIPP
Beschreiben Sie Wörter.

Hier kann man kochen. → Küche
Das bezahle ich für meine Wohnung. → Miete

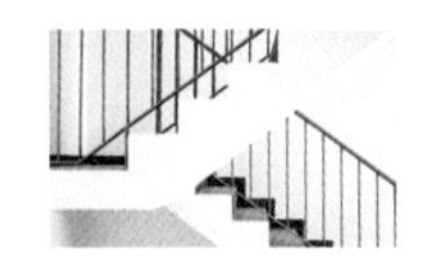

In Giesing wohnt das Leben!

KB 3 **1** **Wo sind die Personen?**

▶ 2 10 **a** **Hören Sie und nummerieren Sie.**

WÖRTER

◯ Kirche ◯ Spielplatz ① Flughafen ◯ Wald ◯ Meer ◯ Café ◯ Hafen

b **Ergänzen Sie aus a. Notieren und vergleichen Sie.**

Deutsch	Englisch	Meine Sprache oder andere Sprachen
_ _ f _	café	
_ _ f _ _	harbour	
_ _ _ _ h _ _ _ _	airport	
K _ _ _ _ _	church	
M e e r	sea	
_ p _ _ _ _ _ _ _ _ _	playground	
W a l d	forest	

KB 3 **2** **Was ist das? Ergänzen Sie.**

WÖRTER

~~Kin~~ | me | ge | Ber | Ju | no | gend | her | Bäu | ge | Rat | haus | Ki | ~~der~~ | ~~gar~~ | ber | ~~ten~~ | ge

a Kindergarten

b

c

d

e

f

KB 3 **3** **Wo bin ich? Notieren Sie.**

WÖRTER

Park | ~~Geschäft/Laden~~ | Bibliothek | Turm | Schloss | Markt | Fluss

Ich bin …

a Ich bin shoppen. — in einem Geschäft/Laden.
b Ich suche Bücher, aber ich kaufe sie nicht. —
c Ich bin in einem Haus. Es ist sehr groß. Ich wohne hier nicht. Ich bin im Urlaub und sehe mir das Haus an. —
d Ich gehe spazieren. Hier sind Bäume, aber ich bin nicht im Wald. Ich bin in einer Stadt. —
e Ich bin in der Stadtmitte. Am Donnerstag gibt es hier immer Obst und Gemüse. — auf einem …
f Ich bin in einer Kirche und habe einen Blick auf die Stadt von oben. —
g Das Wetter ist schön und ich schwimme. Ich bin im Wasser, aber nicht im Meer. —

KB 3

4 Wo bin ich?

a Schreiben Sie Aufgaben wie in 3: Was sehen Sie? Was machen Sie dort?
b Tauschen Sie mit Ihrer Partnerin / Ihrem Partner. Sie/Er rät.

KB 4 ▶ 2 11 HÖREN

5 Hören Sie Marlenes Podcast. Was ist falsch? Korrigieren Sie.

a In Giesing haben früher ~~keine~~ Arbeiter gewohnt. *viele*
b In Giesing sind die Wohnungen sehr teuer. ______
c Es gibt in Giesing ein Kino, aber kein Theater. ______
d Das Kulturzentrum ist in einer Kirche. ______
e Im Kulturzentrum kann man nicht tanzen. ______

KB 5 STRUKTUREN

6 Was passt? Markieren Sie.

a Wie gefällt / gefallen dir der Stadtteil? – Toll, besonders gefällt / gefallen mir die Cafés.
b Gehört / Gehören die Schlüssel Dörte? – Nein, das sind meine. Aber der Schlüssel auf dem Tisch gehört / gehören Dörte.
c Du kannst das Rezept nicht lesen? Dann brauchst du eine neue Brille. Die hilft / helfen dir.
d Clemens möchte Deutsch lernen und macht viele Übungen. Die Übungen hilft / helfen ihm.
e Schmeckt / Schmecken dir der Salat? – Nein, aber die Kartoffeln schmeckt / schmecken mir sehr gut.

KB 5 STRUKTUREN ENTDECKEN

7 Ergänzen Sie die passenden Verben aus 6 in der richtigen Form.

Der Stadtteil *gefällt*	mir. / dir. / ihm/ihr. / uns. / euch. / Ihnen/Ihnen.	Die Stadtteile ______	mir. / dir. / ihm/ihr. / uns. / euch. / Ihnen/Ihnen.
Der Schlüssel ______		Die Schlüssel ______	
Die Übung ______		Die Übungen ______	
Der Salat ______		Die Salate ______	

KB 5 WÖRTER

8 Ergänzen Sie *gehören/gefallen/danken/helfen/schmecken* in der richtigen Form.

a Welcher Stadtteil *gefällt* dir besonders gut? – Ich mag das Lehel.
b Wir ______ dir für deine Hilfe. – Ich habe euch gern geholfen.
c Kann ich Ihnen ______? – Nein, danke.
d Die vielen Kneipen und Restaurants ______ mir sehr gut.
e ______ dir das Buch? – Nein, das ist nicht mein Buch.
f ______ euch der Kuchen? – Ja, sehr gut. Können wir das Rezept haben?

BASISTRAINING

KB 5

9 Was passt? Kreuzen Sie an.

STRUKTUREN

a Marlene meint, Giesing ist normal. Das gefällt ○ mir ⊗ ihr ○ ihm sehr gut.
b Wir feiern nächste Woche eine große Party. Viele Freunde helfen ○ uns. ○ euch. ○ ihnen.
c Ihr habt uns toll geholfen! Wir danken ○ uns. ○ euch. ○ ihnen.
d Das sind Marks Schlüssel. Sie gehören ○ dir. ○ ihm. ○ ihr.
e Du kannst die Lehrerin fragen. Sie hilft ○ dir. ○ ihm. ○ euch.

KB 5

10 Ergänzen Sie.

STRUKTUREN

a Hallo Maria und Pedro, wie geht es euch? – Danke, gut.
b Maria, kommst du? – Ja, Pedro, ich komme gleich und helfe ________.
c Wir haben Probleme mit den Hausaufgaben. Kannst du ________ helfen? – Ja, klar.
d Pedro, sind das deine Bücher? – Nein, sie gehören nicht ________. Sie gehören Maria.
e Was machst du? – Ich schreibe eine Postkarte an Sandra und danke ________ für die Einladung.
f Hast du am Sonntag Zeit? – Nein, Peter und Anja ziehen um und ich helfe ________.

KB 7

11 Welche Anzeige passt? Lesen Sie und notieren Sie dann.

LESEN

1
FAHRRADTOUR
Menschen (jung und alt) treffen sich am Sonntag um 15.00 Uhr vor der Kirche.
Wichtig! Getränke und Essen bringen Sie selbst mit.

2
Geschäftsaufgabe
Nur noch diese Woche!
Modische Kleidung zu kleinen Preisen!
Am Marktplatz 13

3
Deutsch lernen – aber wie?
Wir helfen Ihnen!
Beratung für Ausländer
am Donnerstag um 10.00 Uhr
im Rathaus

4
Lesenachmittag für Kinder ab 4 Jahren
Wo? In der Stadtbibliothek
Wann? Am Mittwoch um 10.30 Uhr

5
Fernsehen zu Hause?
Das ist langweilig!
Sonntag 20.15 Uhr
TATORT im Bürgertreff *(Breite Straße 15)*

6
NEUES CAFÉ JAZZKANTINE
Eröffnung: Samstag um 15.00 Uhr
Nur am Samstag: 50 % auf alle Getränke!
Und auch das Kulturprogamm fehlt nicht:
Es spielt die Jazzband Summerdays
Kommt alle!

	Anzeige
a Ihre Tochter ist 5 Jahre alt und liebt Bücher.	
b Sie sind neu in der Stadt und möchten Menschen treffen. Sie machen gern Sport.	
c Sie mögen Musik.	
d Sie suchen einen Deutschkurs.	

TRAINING: SPRECHEN

1 Was machen Sie wo in Ihrem Stadtteil gern und/oder oft? Sammeln Sie Orte und Aktivitäten und notieren Sie.

Park
spazieren gehen
lesen
Freunde treffen
...
Geschäfte
shoppen
...

TIPP: Sie möchten nicht nur mit einem Wort antworten? Machen Sie sich erst Notizen: Was mache ich wo in meinem Stadtteil? So wiederholen Sie wichtige Informationen und planen Ihre Aussage. Das Sprechen ist dann leichter.

2 Arbeiten Sie zu dritt. Schreiben Sie einen Fragebogen. Sprechen und notieren Sie.

Was brauchen Sie in Ihrem Stadtteil?

	Ich	Meine Partnerin / Mein Partner A	Meine Partnerin / Mein Partner B
1. Park		X	
2. Geschäfte	X		
3.			
...			

Was brauchst du in deinem Stadtteil?

Einen Park. Ich bin oft im Park und gehe spazieren oder lese. Am Wochenende treffe ich Freunde im Park.

TRAINING: AUSSPRACHE *Vokale: langes „e" und „i"*

▶ 2 12 **1 Was hören Sie: langes „e" oder „i"? Kreuzen Sie an.**

	e	i		e	i		e	i
1	○	○	4	○	○	7	○	○
2	○	○	5	○	○	8	○	○
3	○	○	6	○	○	9	○	○

▶ 2 13 **2 Hören Sie und sprechen Sie nach.**

See
Museum
mehr Museum
das lieben wir

viel
viele Spiele
viele Spiele fehlen

3 Ergänzen Sie „i", „ih", „ie".

a Marlene lebt in G____sing. Das ist ____r L____blingsv____rtel.
b Die Wohnung ist möbl____rt.
c Im K____no sehen w____r v____le schöne Sp____lfilme.

▶ 2 14 **Hören Sie und vergleichen Sie.**

TEST

Wörter

1 In der Stadt. Ordnen und ergänzen Sie die Wörter mit Artikel.

RPKA | AINDTRKNEERG | THIBLIBOEK | ~~HEFTSGCÄ~~ | HERJUGBEENDRGE | RUTM

a Hier kann man Kleidung einkaufen. das Geschäft
b Hier lernen und spielen kleine Kinder von Montag bis Freitag. ____
c Hier kann man schlafen, es ist günstig. ____
d Hier gibt es sehr viele Treppen. ____
e Hier kann man Bücher lesen, aber nicht kaufen. ____
f Hier ist es grün und es gibt viele Bäume. ____

_ / 10 Punkte

Strukturen

2 Wie heißen die Personalpronomen? Kreuzen Sie an.

a Daniel und Julia, wie findet ihr Berlin? – Super, es gefällt (X) uns ( ) Ihnen wirklich gut hier.
b Das Auto ist ja toll. Gehört es ( ) dir ( ) ihnen? – Leider nicht, es gehört meinem Chef.
c Kann ich ( ) ihm ( ) Ihnen helfen, Herr Thalmann? – Ja bitte, meine Tasche ist so schwer.
d Emma und ich haben für Sie eingekauft, Frau Roth. – Das ist aber nett. Ich danke ( ) uns ( ) euch.
e Wie findet dein Sohn die neue Firma? – Es gefällt ( ) ihm ( ) ihr sehr gut dort.
f Kannst du ( ) euch ( ) mir bei der Aufgabe helfen? – Ja Max, ich komme gleich.

_ / 5 Punkte

Kommunikation

3 Ergänzen Sie die E-Mail.

Hier gibt es viele | das ist nicht so toll | gefällt mir gut | Hier ist | das ist schon okay

Hallo Freunde,
seit August bin ich in Frankfurt. ____ (a) eine Schule für Krankenschwestern. Die Ausbildung ____ (b) und macht viel Spaß. Ich wohne in der Mozartallee 134. Mein Zimmer ist klein und gemütlich. Es hat nur 15 Quadratmeter, aber ____ (c). Leider habe ich keine Küche. Ich koche in meinem Zimmer und ____ (d). Aber das Viertel hier ist super. ____ (e) Kneipen und Restaurants und es ist immer etwas los.

Liebe Grüße nach Innsbruck
Barbara

_ / 5 Punkte

Wörter		Strukturen		Kommunikation	
●	0–5 Punkte	●	0–2 Punkte	●	0–2 Punkte
●	6–7 Punkte	●	3 Punkte	●	3 Punkte
●	8–10 Punkte	●	4–5 Punkte	●	4–5 Punkte

www.hueber.de/menschen/lernen

LERNWORTSCHATZ

1 Wie heißen die Wörter in Ihrer Sprache? Übersetzen Sie.

In der Stadt
Bibliothek die, -en
Geschäft das, -e / Laden der, ¨
Hafen der, ¨
Jugendherberge die, -n
Kindergarten der, ¨
Kirche die, -n
Markt der, ¨e
Park der, -s
Rathaus das, ¨er
Schloss das, ¨er
Spielplatz der, ¨e
Turm der, ¨e

Weitere wichtige Wörter
Ausländer der, -
Blick der, -e
Mensch der, -en
Reisebüro das, -s
Rezept das, -e
Urlaub der
CH: Ferien die (Pl.)
Wetter das

danken, hat gedankt
fehlen, hat gefehlt
gehören, hat gehört

wichtig

alle
wenig
zu Hause

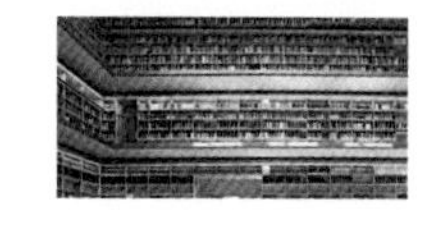

TIPP
Sehen Sie den Lernwortschatz „In der Stadt" an.
Schließen Sie das Buch.
Schreiben Sie jetzt die Wörter mit Artikel auf.
Wie viele Wörter kennen Sie?

der Turm,
der Park ....

2 Welche Wörter möchten Sie noch lernen? Notieren Sie.

WIEDERHOLUNGSSTATION: WORTSCHATZ

1 In der Stadt. Was ist das? Notieren Sie.

a eine Bank ______________ e ______________
b ______________ f ______________
c ______________ g ______________
d ______________ h ______________

2 Was passt zusammen? Ordnen Sie zu.

Garage	Couch
Arbeitszimmer	Toilette
Bad	Computer
Schlafzimmer	Kühlschrank
Garten	Auto
Wohnzimmer	Blumen
Küche	Bett

3 Wo wohnt Charlotte? Lösen Sie das Rätsel.

Charlotte wohnt in der Stadtmitte, direkt im ____(1)____.
Ihre Wohnung ist im 3. ___(4)____ und hat 45 m^2.
Charlotte hat zwei Zimmer mit ___(2)_____ und Bad.
Ihr Vermieter ist sehr nett und die ___(3)___ ist günstig.
Neben ihr wohnt Frau Thiele, das ist ihre ____ (5)____.

1
2
Q U A D R A T M E T E R
3
4
5

Lösung: Charlotte wohnt in der Schweiz, in _ _ _ _ _ _ _ .

4 Ergänzen Sie das Gespräch.

Urlaub | Wetter | Meer | ~~Grüße~~ | Dom | Wochen | Hause | Bergen

ARISA: Hallo Uli, schöne Grüße aus Italien!
Uli91: Aus Italien? Was machst du dort?
ARISA: ______________ (a)!
Ich war in den ______________ (b), in den Dolomiten. Jetzt bin ich an der Adria.
Uli91: Toll! Wie ist das ______________ (c) dort?
ARISA: Sehr warm! Ich schwimme jeden Tag im ______________ (d).
Morgen fahre ich weiter nach Mailand, ich möchte den ______________ (e) sehen.
Uli91: Sprichst du Italienisch?
ARISA: Sí, naturalmente ...
In zwei ______________ (f) bin ich wieder zu ______________ (g). Ciao!
Uli91: Tschüs und viel Spaß!

WIEDERHOLUNGSSTATION: GRAMMATIK

1 **Sehen Sie das Bild an und ergänzen Sie die Präpositionen und den Artikel, wo nötig.**

a Frau Kerner wohnt neben Herrn Rahn und ____________ Familie Burlach.
b Frau Other wohnt ____________ Familie Burlach.
c ____________ d_____ Haus ist ein Baum. Die Fahrräder stehen ____________ Baum.
d ____________ d_____ Baum ist ein Zelt. ________ Zelt sind Sophie und Paul.
e Herr und Frau Burlach sitzen gern ____________ d_____ Balkon.

2 **Ergänzen Sie die Possessivartikel.**

a Herr Rahn wohnt im Erdgeschoss. Er wohnt allein und liebt seine Blumen.
b ____________ Nachbarin, Frau Kerner, wohnt auch im Erdgeschoss.
c Im 1. Stock wohnt Familie Burlach. ____________ Sohn heißt Paul und ____________ Tochter Sophie. Die Eltern finden ____________ Balkon sehr schön.
d Frau Other wohnt im 2. Stock. ____________ Wohnung ist sehr groß und sie vermietet ein Zimmer. ____________ Mieterin heißt Frau Reimer.

3 **Wer ist wer? Ergänzen Sie die Namen.**

a Sophie ist Herrn und Frau Burlachs Tochter.
b Frau Reimer ist Frau ________________ Mieterin.
c Paul ist ________________ Bruder.
d Frau Burlach ist ________________ und ________________ Mutter.
e Herr Rahn ist Frau ________________ Nachbar.

4 **Ergänzen Sie das Pronomen.**

a ■ Frau Neuner hat heute viel Arbeit und wenig Zeit. Können Sie ________ bitte helfen?
▲ Ja, natürlich helfe ich ihr.
b ■ Johanna und Martin, gefällt ____________ denn mein Sofa nicht?
▲ Doch, es gefällt ____________.
c ■ Gehört das Handy ____________, Herr Kleinschmid?
▲ Ja, es gehört ____________.
d ■ Ich finde das Schloss Schönbrunn in Wien sehr schön. Gefällt es ________________ nicht, Juliane?
▲ Doch, es gefällt ________________, aber ich finde Schlösser ein bisschen langweilig.

SELBSTEINSCHÄTZUNG Das kann ich!

Ich kann jetzt ...

... jemanden um Hilfe bitten: L13

_______________ Sie bitte.
_______________ helfen?
Entschuldigung! _______________ etwas fragen?
_______________ einen Moment Zeit?

... nach dem Weg fragen: L13

Kennen _______________?
Wo _______________?
Ich _______________.

... den Weg beschreiben: L13

Fahren Sie zuerst _______________. ↑
Biegen Sie dann _______________ ab. ↰
Fahren Sie die nächste Straße _______________. ↱
_______________ Sie.

... sagen: Ich kenne den Weg nicht: L13

Nein, tut _______________. _______________ fremd
_______________ / _______________ von hier.

... Häuser und Wohnungen beschreiben: L14

Mein Haus ist _______________. Es hat sieben _______________.
Im _______________ sind drei Zimmer und im ersten
_______________ sind vier Zimmer.

... Häuser und Wohnungen bewerten: L14

Den Garten _______________ ich cool, aber das Haus _______________ nicht so toll aus.
Ich liebe das Haus, aber den Garten _______________ ich gar nicht.

... Gefallen und Missfallen äußern: L15

■ Wie _______________ dir Giesing? ▲ Giesing _______________ ganz normal und das
_______________ ich super so.

... nach Einrichtungen fragen und Einrichtungen nennen: L15

■ _______________ _______________ in Giesing eigentlich auch ein Kino?
▲ Ja, aber _______________ _______________ leider nur sehr wenige Geschäfte.

Ich kenne ...

... 15 Institutionen/Einrichtungen und Plätze in der Stadt: L13/L15

Diese Orte besuche ich gern: _______________
Diese Orte besuche ich fast nie/nie: _______________
Diese Einrichtungen brauche ich oft: _______________

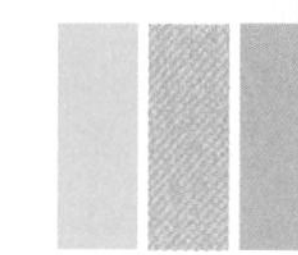

SELBSTEINSCHÄTZUNG *Das kann ich!*

... 10 Wörter rund um Haus und Wohnung: L14
Das gibt es in meiner Wohnung / in meinem Haus: ______________________

____

Das gibt es nicht in meiner Wohnung / in meinem Haus: ______________________

____

Ich kann auch ...

... die Lage von Dingen angeben (lokale Präpositionen mit Dativ): L13
Wo ist der Stab?
Der Stab ist ______________ ________ Würfel.
Der Stab ist ______________ ________ Würfeln.

... Zugehörigkeit ausdrücken (Genitiv + Possessivartikel *sein* und *ihr*): L14
Vanilla wohnt neben Otto. Vanilla ist ______________ Nachbarin.
■ Wie findest du Vanillas Haus? ▲ __________ Haus finde ich super,
aber __________ Garten mag ich nicht so gern.

... sagen, wem etwas gefällt/gehört und wem ich helfe/danke (Personalpronomen im Dativ): L15
Das finde ich gut. → Das ______________ ______________.
Das ist dein Haus. → Das ______________ ______________.
Vielen Dank, Otto! → Wir ______________ ______________.
Die Übungen sind wichtig für Maria und Pedro. → Die Übungen ______________.

Üben / Wiederholen möchte ich noch ...

____

RÜCKBLICK

Wählen Sie eine Aufgabe zu Lektion 13

1 Sehen Sie noch einmal den Stadtplan im Kursbuch auf Seite 10 an. Sie sind vor der Post. Wie gehen Sie zum Bahnhof? Beschreiben Sie den Weg.

Ich gehe geradeaus und dann ...

2 Wie gehen Sie zu ...?

Was ist bei Ihnen in der Nähe? Ein Bahnhof, eine U-Bahn- oder Bus-Haltestelle, ein Restaurant ...? Wählen Sie und beschreiben Sie den Weg von Ihnen zu Hause zu diesem Ort.

Ich gehe aus dem Haus und gleich nach links. Dann ...

RÜCKBLICK

Wählen Sie eine Aufgabe zu Lektion 14

1 Lesen Sie noch einmal die Anzeigen im Kursbuch auf Seite 15 und ergänzen Sie die Tabelle.

	Zimmer	Größe	Was gibt es noch?	Kosten
A	2 Zimmer	54 m²	Balkon, Aufzug, Tiefgarage	400 € + 120 € Nebenkosten
B				
C				
D				
E				

2 Sie suchen Ihr Traumhaus. Schreiben Sie eine Anzeige.

Suche Traumhaus!
Ich suche ein Haus mit 6 Zimmern, ca. 200 m².
Mit Swimmingpool und Garten.
Bitte maximal ... / Monat.
Kontakt: ....

Wählen Sie eine Aufgabe zu Lektion 15

1 Welche Sätze passen zu Claudia, welche passen zu Teddybär?
Lesen Sie noch einmal die Kommentare zu Marlenes Blog im Kursbuch auf Seite 18 und kreuzen Sie an.

		Claudia	Teddybär
a	Ich finde deinen Blog sehr gut.	○	○
b	Ich kenne München.	○	○
c	Ich finde die Maxvorstadt und das Lehel super.	○	○
d	Ich suche bald eine Wohnung in München.	○	○
e	Ich möchte vielleicht in Giesing wohnen.	○	○

2 Schreiben Sie einen Kommentar zu Marlenes Blog im Kursbuch auf Seite 18.
Möchten Sie in Giesing wohnen? Warum / Warum nicht? Machen Sie erst Notizen.

Das gefällt mir in Giesing: ____________________
Das gefällt mir nicht so gut in Giesing: ____________________
Das möchte ich noch wissen: ____________________

____________ *aus* ____________ *hat geschrieben:*

Hallo Marlene! ____________________

WIEDERSEHEN IN WIEN

Das ist bisher passiert:
Paul und sein Hund Herr Rossmann machen Urlaub in München. Dort treffen sie Anja. Die drei werden Freunde. Sie machen viele Dinge gemeinsam, aber schon bald müssen Paul und Herr Rossmann wieder zurück nach Wien fahren. Zwei Wochen sind zu kurz, finden sie …

Teil 1: Wo ist Pauls Wohnung?

‚Ist das schön hier …!' ‚denkt Anja.
Sie ist gerade aus der U-Bahn ausgestiegen und steht vor dem Schloss Schönbrunn in Wien.
„Entschuldigen Sie, ich suche die Penzinger Straße", sagt sie zu einem Mann.
„Hm, ich bin nicht von hier. Ich kenne diese Straße nicht."
„Und Sie? Können Sie mir helfen? Wo ist die Penzinger Straße?"
„Pardon?"
‚Gibt es hier nur Touristen!?', denkt Anja.

Sie fragt eine alte Frau: „Entschuldigen Sie, ich suche die Penzinger Straße."
„Ja, die ist ganz in der Nähe. Gehen Sie geradeaus über den Platz hier. Sehen Sie die Straßenbahnstation dort? Da gehen Sie nach links und dann nach rechts. Die nächste Straße ist die Penzinger Straße."
„Vielen Dank!"
Anja nimmt ihren Koffer und geht los.
‚Hoffentlich ist Paul zu Hause', denkt sie. ‚Er weiß ja nicht, dass ich ihn besuchen komme.'

„Was ist denn los, Herr Rossmann?", fragt Paul.
Sein Hund läuft schon den ganzen Morgen in der Wohnung herum: zum Fenster, zur Tür, zum Fenster …
„Ja, ich sehe schon, Herr Rossmann, du wartest auf einen Gast. Aber heute kommt uns niemand besuchen."
Herr Rossmann bellt.
„Bitte, Herr Rossmann!"
Herr Rossmann läuft zur Tür und bellt wieder.
„Herr Rossmann, was ist …"
Es klingelt. Doch ein Gast?
Paul öffnet die Tür und …
„Anja! … Du bist in Wien? Das ist ja eine tolle Überraschung."
„Ich komme dich besuchen. Kann ich reinkommen?"
„Ja, klar, komm rein. Ich nehme deinen Koffer."
Herr Rossmann bellt.
„Hallo Herr Rossmann, endlich sehe ich dich wieder!", sagt Anja und streichelt den Hund.
„Wie geht es dir, Anja?", fragt Paul. „Bist du müde von der Reise? Möchtest du etwas essen? Oder einen Kaffee?"
„Oh ja, Kaffee ist gut … Und dann suchen wir ein Hotel für mich."
„Ach was, Hotel. Du kannst hier auf dem Sofa schlafen."
„Wirklich? Super, danke! Dann können wir ja gleich Wien ansehen."
„Ja, den Stephansdom, das Riesenrad, das Schloss Schönbrunn …"
„Das habe ich schon gesehen", sagt Anja und lacht. „Aber mit dem Stephansdom können wir anfangen."

Wir haben hier ein Problem.

KB 4 **1 Ergänzen Sie das Gespräch. Schreiben Sie Sätze.**

KOMMUNIKATION

sehr nett sein | nicht funktionieren | ~~für Sie tun können~~ | sofort kümmern | Ihre Hilfe brauchen

■ Was kann ich für Sie tun ____________________?
▲ Ich ____________________.
Die Klimaanlage in meinem Zimmer
____________________.
■ Das tut mir leid. Ich ____________________
mich ____________________ darum.
▲ Das ____________________. Vielen Dank!

Rezeption

KB 5 **2 Was bedeuten die Bilder im Hotel? Ordnen Sie zu.**

WÖRTER

Föhn | Internetverbindung | ~~Fernseher~~ | Dusche | Klimaanlage | Aufzug | Minibar | Schwimmbad | Restaurant | Radio | Tennisplatz | Telefon

a TV der Fernseher
b ____________________
c ____________________
d ____________________
e ____________________
f ____________________
g ____________________
h ____________________
i ____________________
j ____________________
k ____________________
l ____________________

KB 5 **3 Was haben Sie auf einer Reise in Ihrem KOFFER? Finden Sie Wörter.**

WÖRTER

____________ K ____________
____________ O ____________
____________ F OEHN
____________ F ____________
____________ E ____________
____________ R ____________

KB 5 **4 Machen Sie ein Rätsel für Ihre Partnerin / Ihren Partner wie in 3 zu einem Thema aus den Lektionen 13–15.**

KB 6 Kommunikation

5 Der Fernseher ist kaputt. Schreiben Sie das Gespräch.

Rezeptionist/in		Gast
helfen können?	↘	Problem haben Fernseher kaputt
Techniker schicken sofort darum kümmern	↙ ↘	
		Eine Bitte noch: Es gibt keine Handtücher.
sofort Handtücher bringen	↙ ↘	
		Dank für Hilfe

Kann ich Ihnen helfen?
Ja, ich habe ein Problem. ...

KB 7 Strukturen

6 Was ist richtig? Kreuzen Sie an.

a Peter möchte ◯ nach einem ◯ für ein Jahr nach Japan gehen. Er hat ◯ nach ◯ vor einem Jahr schon ein Praktikum in Japan gemacht.
b Anne möchte ◯ für ◯ nach ihrem Medizinstudium in Afrika als Ärztin arbeiten.
c Barbara beginnt ◯ nach ◯ in drei Monaten mit dem Studium.
d Moritz hat ◯ in ◯ vor einem halben Jahr mit seinem Ingenieur-Studium angefangen. ◯ In ◯ Für vier Jahren ist er fertig. Dann möchte er gern in einer Autofirma arbeiten.
e Maria möchte ◯ nach dem ◯ für den Deutschkurs die Prüfung machen.

KB 7 Strukturen

7 Akkusativ oder Dativ? Ergänzen Sie.

a für ein*e* Woche
b in ein_____ Monat
c nach ein_____ Stunde
d vor d_____ Sitzung
e für ein_____ Monat
f nach d_____ Kurs
g in ein_____ Woche
h vor ein_____ Jahr

KB 7 Strukturen

8 Im Chatroom. Ordnen Sie zu.

~~am~~ | um | nach | am | vor | um | von ... bis | nach

siri99: Hi Jule, was machst du *am* (a) Freitag? Sehen wir uns mal wieder?
Jule_m: Gern. Am Freitag arbeite ich _________ (b) acht _________ (c) zwei Uhr und _________ (d) der Arbeit gehe ich zum Arzt. Aber _________ (e) Abend habe ich Zeit.
siri99: Gehen wir ins Kino? In den neuen Film mit Angelina Jolie? Hast du Lust? _________ (f) 20:30 Uhr?
Jule_m: Gute Idee. Wollen wir _________ (g) dem Kino noch etwas zusammen essen? Komm doch _________ (h) sieben Uhr zu mir. Ich koche etwas und _________ (i) dem Essen fahren wir zusammen ins Kino.
siri99: Super! Das ist sehr nett von dir. Bis morgen.

KB 8

9 Einen Termin verschieben.

SCHREIBEN

a Ergänzen Sie die E-Mail.

Neue E-Mail
Senden Chat Anhang Adressen Schriften Farben Als Entwurf sichern

Von: p.frei@gmx.de
An: chriswinter@aol.com
Betreff: Termin heute

Sehr geehrte Frau Winter,

leider ________________________________.
(heute um 16 Uhr nicht kommen können)
Wir haben ein Problem mit der Internetverbindung in der Firma und ich warte auf den Techniker. ________________________________?
(Termin verschieben können)
________________________________?
(Mittwoch Zeit haben)
________________________________.
(ab Freitag für eine Woche im Urlaub sein)
Mit freundlichen Grüßen
Peter Frei

b Antworten Sie auf die E-Mail.

kein Problem | natürlich Termin verschieben können | Mittwoch Zeit haben | passt 15 Uhr? | Grüße

Neue E-Mail
Senden Chat Anhang Adressen Schriften Farben Als Entwurf sichern

Von: chriswinter@aol.com
An: p.frei@gmx.de
Betreff: Re: Termin heute

Sehr ________________,

____

____

____

____

____

KB 8

10 Hören Sie das Telefongespräch und ordnen Sie zu.

▶ 2 15

HÖREN

a Heute um elf	muss Stefan Kollegen am Flughafen abholen.
b In zwei Stunden	hat Nina eine Sitzung.
c Am Donnerstag um drei	am Freitag um 14.30 Uhr Zeit.
d Nach der Sitzung	hat Stefan keine Zeit.
e Am Freitag	muss Nina einen Kollegen anrufen.
f Stefan hat	hat Nina nach dem Mittagessen Zeit.

TRAINING: SPRECHEN

1 Wie bittet man um Hilfe? Was antwortet man?

Schreiben Sie Bitten auf gelbe Kärtchen und Antworten auf blaue Kärtchen. (Hilfe finden Sie in den Lektionen 13 und 16.)

Kann ich mal ...

Entschuldigung, können Sie mir helfen? Ich / ...

Ja, natürlich.

Tut mir leid ...

TIPP

Sie möchten besser sprechen? Lernen Sie die Fragen und Sätze in der Rubrik Kommunikation auf der 4. Seite jeder Lektion auswendig. Sie helfen Ihnen in vielen Situationen.

2 Spiel: Bitten Sie eine Mitspielerin / einen Mitspieler. Sie/Er antwortet. Die Kärtchen in 1 können Ihnen helfen.

Spielanleitung: Stellen Sie Ihre Spielfigur auf ein Feld und würfeln Sie. Ziehen Sie mit Ihrer Spielfigur. Formulieren Sie Bitten. Ist die Bitte richtig, bekommen Sie zwei Punkte. Spielen Sie zehn Minuten. Wer hat die meisten Punkte?

■ Entschuldigung, können Sie mir helfen? Die Klimaanlage funktioniert nicht.
▲ Das tut mir leid. Ich kümmere mich sofort darum.

TRAINING: AUSSPRACHE *Vokale: „o" und „u"*

AUSSPRACHE o/u

1 Sie hören jeweils vier Wörter.

▶ 2 16

Wie oft hören Sie „o", wie oft „u"? Notieren Sie.

1 o *2x* u *2x* 3 o ___ u ___
2 o ___ u ___ 4 o ___ u ___

2 Ergänzen Sie „o" oder „u".

▶ 2 17 Hören Sie und sprechen Sie nach.

Pr___blem – H___tel – M___se___m – M___sik – D___sche – Telef___n – Aufz___g – M___nat – ___hr – Kin___ – Handt___ch

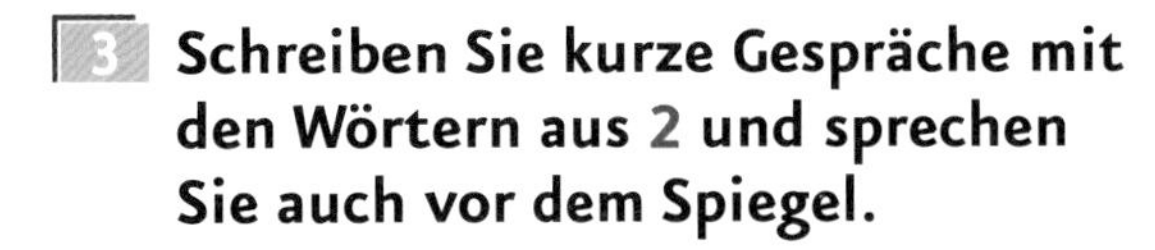

3 Schreiben Sie kurze Gespräche mit den Wörtern aus 2 und sprechen Sie auch vor dem Spiegel.

■ *Entschuldigen Sie, ich habe ein Problem: Die Dusche funktioniert nicht.*
▲ *Oh, das tut mir leid. Ich komme sofort.*
...

TEST

1 Im Hotel. Ergänzen Sie.

WÖRTER

Das Hotel ist 150 Jahre alt. Es hat 45 Zimmer auf vier Stockwerken, aber leider keinen (a) Aufzug (FUGAZU) und keine (b) ______________ (ALGALENMIAK). Im Erdgeschoss stehen zwei Computer mit (c) ______________ (DEBTGVIRENTURNENIN). Jedes Zimmer hat ein Radio und einen (d) ______________ (RENFEHESR). In jedem Bad gibt es eine (e) ______________ (SHEDUC) und einen Föhn. _ / 4 PUNKTE

2 Ergänzen Sie.

WÖRTER

a Das Radio funktioniert nicht, es ist k a p u t t.
b Er kommt immer zu spät, er ist nie p _ _ _ _ _ _ _ _ _.
c Der Deutschkurs ist nicht langweilig, er ist l _ _ _ _ _ _.
d Heute ist es nicht heiß, es ist k _ _ _. _ / 3 PUNKTE

3 Ergänzen Sie *für*, *vor*, *nach* und *in*.

STRUKTUREN

■ Wann bist du mit der Ausbildung fertig?
▲ In (a) einem Jahr.
■ Und was machst du ________ (b) der Ausbildung?
▲ Ich gehe ________ (c) zwei Jahre nach London.

■ Warst du schon einmal in England?
▲ Ja, ________ (d) fünf Jahren.
■ Wie hat es dir gefallen?
▲ Es war super. ________ (e) sechs Monaten habe ich wirklich sehr gut Englisch gesprochen. _ / 4 PUNKTE

4 Was ist richtig? Kreuzen Sie an.

STRUKTUREN

a Die U-Bahn kommt in ☒ einer ○ einen ○ einem Minute.
b Nach ○ das ○ der ○ dem Deutschkurs fährt Isabella in die Stadt.
c Yakub ist vor ○ einer ○ einen ○ einem Jahr nach Deutschland gekommen.
d Christiane braucht das Auto nur für ○ ein ○ einen ○ eine Tag. _ / 3 PUNKTE

5 Ergänzen Sie das Gespräch.

KOMMUNIKATION

Das ist | Was kann | Es gibt | Ich kümmere | Das tut

■ Können Sie mir helfen?
▲ Ja gern. ______________ (1) ich für Sie tun?
■ ______________ (2) keine Seife in der Dusche.
▲ Wie dumm! ______________ (3) mir leid.
______________ (4) mich sofort darum.
■ ______________ (5) sehr nett. Vielen Dank! _ / 5 PUNKTE

Wörter		Strukturen		Kommunikation	
●	0–3 Punkte	●	0–3 Punkte	●	0–2 Punkte
●	4–5 Punkte	●	4–5 Punkte	●	3 Punkte
●	6–7 Punkte	●	6–7 Punkte	●	4–5 Punkte

www.hueber.de/menschen/lernen

LERNWORTSCHATZ

1 Wie heißen die Wörter in Ihrer Sprache? Übersetzen Sie.

Im Hotel
Aufzug der, ⸚e
CH/A: Lift der, -e
Dusche die, -n
Fernseher der, -
Föhn der, -e / -s
Gast der, ⸚e
Handtuch das, ⸚er
Heizung die, -en
Klimaanlage die, -n
Verbindung die, -en
die Internetverbindung
Wecker der, -

Beschwerden
Bescheid sagen
Hilfe rufen
bringen, hat gebracht
funktionieren, hat funktioniert
kümmern, hat gekümmert
reparieren, hat repariert
schicken (einen Techniker/...), hat geschickt
kaputt
sofort

Termine
Lust die
Lust haben
Termine ab·sagen, hat abgesagt
vereinbaren, hat vereinbart

verschieben, hat verschoben
passen, hat gepasst
Passt es dir/ Ihnen?
pünktlich

Weitere wichtige Wörter
Angst die, ⸚e
Angst haben
Kurs der, -e (Tanz-/ Spanischkurs)
Leben das
Sitzung die, -en
Stunde die, -n
die halbe Stunde
aus·machen, hat ausgemacht
kennen·lernen, hat kennengelernt
mit·nehmen, hat mitgenommen
tun, hat getan
warten, hat gewartet
dumm
Wie dumm!
kalt
lustig
seltsam
sicher
nichts
selbst
Sehr geehrte / Sehr geehrter
Mit freundlichen Grüßen
CH: Freundliche Grüsse

TIPP
Schreiben Sie Zettel und hängen Sie die Zettel in der Wohnung auf.

2 Welche Wörter möchten Sie noch lernen? Notieren Sie.

Wer will Popstar werden?

KB 3 WÖRTER

1 Markieren Sie die Verben und ordnen Sie zu.

LERATEANMELDENGERUBEKOMMENPORATREHLESENITERNUMSCHREI
BENERTOSARABSCHLIESSENAKLUFARTSCHAFFENIMADHABENELTAR

a eine Anzeige *lesen*
b eine Ausbildung ______
c sich an einer Sprachschule ______
d Angst ______
e eine Prüfung ______
f einen Studienplatz ______

KB 3 WÖRTER

2 Ordnen Sie zu.

Ausbildung | Studienplatz | ~~Prüfung~~ | Sprachenschule | Anzeige

a Jan ist glücklich. Er hat endlich die *Prüfung* geschafft.
b Mike möchte Deutsch lernen. Er hat in der Zeitung eine ______ gelesen. Jetzt möchte er sich an einer ______ anmelden.
c Morgen fängt Jos Studium an. Sie hat einen ______ an der Uni in Basel bekommen.
d Jule möchte eine ______ als Friseurin machen.

KB 4 STRUKTUREN

3 Ergänzen Sie *mit* oder *ohne*.

a Cherry geht nur *mit* ihrer „Starbrille" zur Aufnahmeprüfung.
b ______ Aufnahmeprüfung kann sie nicht an der Pop-Akademie studieren.
c Sie möchten ein Popstar werden? ______ eine gute Ausbildung ist das schwierig.
d ______ einer Ausbildung hat man bessere Chancen.
e Fabian geht nur ______ seiner Gitarre zur Aufnahmeprüfung.

KB 4 STRUKTUREN

4 Was ist richtig? Kreuzen Sie an.

a Ich arbeite mit ○ meine ⊗ meinem Mann in einem Büro zusammen.
b Ohne ○ einem ○ einen Kaffee am Morgen kann ich nicht arbeiten.
c Ich frühstücke jeden Morgen mit ○ meiner ○ meine Kollegin.
d Ohne ○ meinem ○ mein Handy gehe ich nicht aus dem Haus. Das nehme ich immer mit.

KB 5 STRUKTUREN ENTDECKEN

5 Ergänzen Sie *e* oder *i*.

ich	w*e*rde
du	w_rst
er/sie	w_rd
wir	w_rden
ihr	w_rdet
sie/Sie	w_rden

Sängerin

BASISTRAINING

KB 5 Strukturen

6 Urlaubswünsche. Ergänzen Sie *wollen* in der richtigen Form.

a Also ich will dieses Jahr zu Hause bleiben!
b Aber meine Freunde Theresa und Boris ________ im Urlaub nach Schweden fahren.
c Meine Freundin Beatrice ________ nach Italien fahren.
d Aber nächstes Jahr ________ wir alle zusammen nach Tunesien fliegen.
e Und was ________ du im Urlaub machen?

KB 6 Strukturen

7 Schreiben Sie Sätze.

a Cherry will unbedingt Sängerin werden.
(unbedingt / Cherry / Sängerin / werden / wollen)
b ________________.
(auf keinen Fall / Sara und Felix / wollen / heiraten)
c ________________.
(meine Ausbildung / Nächstes Jahr / abschließen / ich / wollen)
d ________________.
(wollen / unbedingt / Wir / schaffen / die Führerscheinprüfung)
e ________________.
(können / wir / Dann / mit dem Motorrad / reisen / durch Europa)
f ________________.
(Jan / vielleicht / werden / Liedermacher / wollen)

KB 6 Wörter

8 Ergänzen Sie die Wörter.

Im Sommer hat Sofia ihre (a) Ausbildung (BLUGASIDNU) als Friseurin abgeschlossen. Sie hatte große Angst vor der Prüfung. Aber zum Glück hat sie die Prüfung (b) ________ (SCHEFGATF). Jetzt möchte sie endlich Geld (c) ________ (DERENIVEN). Dann möchte sie mit ihrem Freund Johnny ein (d) ________ (RORTOMDA) kaufen und durch (e) ________ (PORUEA) fahren. Zuerst macht sie aber noch den (f) ________ (RENFEHÜRSHIC). Sie möchten durch viele Länder (g) ________ (SINERE), die Welt und andere junge (h) ________ (UTELE) kennenlernen. In ein paar Jahren möchten sie und Johnny (i) ________ (RITAHENE) und Kinder haben.

KB 6

9 Was sind Ihre Wünsche? Schreiben Sie 4–5 Sätze wie in 8.
Ihre Partnerin / Ihr Partner ergänzt die Wörter.

Ich möchte gern nach China ________. (SIERNE)

KB 6 **10** **Lesen Sie die Texte.**

LESEN

a Was möchten die Leute machen? Kreuzen Sie an.

	SUSANNE	GEORG	MARIANNE
an die Universität gehen	○	○	○
Urlaub machen	○	○	○
im Ausland leben	○	○	○

50 PLUS – KRISE ODER CHANCE?

Ist mit 50 Jahren der schönste Teil des Lebens zu Ende?
Was sind die Wünsche und Pläne der über 50-Jährigen?

Susanne M., Hausfrau, 51 Jahre alt
Meine Wünsche? Ich habe nur einen Wunsch: Ich will ins Ausland gehen und noch einmal eine Fremdsprache lernen. Ich habe mit 20 Jahren geheiratet und drei Kinder bekommen. Jetzt bin ich 51, die Kinder sind groß. In VITAL habe ich einen Artikel über „Granny-Au-Pairs" gelesen und da habe ich gedacht: Das mache ich. Ein halbes Jahr in Rio de Janeiro in einer Familie leben und eine neue Kultur kennenlernen. Super, oder? Und ein bisschen Geld verdiene ich dort auch: 300 € pro Monat und für das Zimmer und Essen zahle ich nichts.

Georg K., Mechatroniker, 58 Jahre alt
Ich habe gerade den Motorradführerschein gemacht und nächstes Jahr will ich sechs Wochen mit meinem Sohn mit dem Motorrad durch Kanada fahren. Er hat letztes Jahr schon eine Reise durch die USA gemacht. Da hat er viel fotografiert und diese wunderbare Natur hat mir sehr gefallen.

Marianne O., Studentin, 52 Jahre alt
Mit 50 Jahren ist man heute doch nicht alt! Ich habe 25 Jahre als Verkäuferin gearbeitet. Vor einem Jahr habe ich einen tollen Mann kennengelernt und mich total verliebt. Er hat gesagt: „Marianne, ich verdiene genug Geld für uns zwei. Willst du wirklich dein ganzes Leben als Verkäuferin arbeiten?" Da habe ich sofort gewusst: Das ist meine Chance! Ich kann endlich studieren! Jetzt studiere ich Arabisch und Französisch. Das spreche ich schon gut. Als Kind habe ich 10 Jahre in Marokko gelebt.

b Lesen Sie noch einmal und kreuzen Sie an.

		richtig	falsch
1	Susanne hat schon mit 20 Jahren als Au-Pair gearbeitet.	○	○
2	Sie bezahlt 300 € für Zimmer und Essen in der Familie.	○	○
3	Georgs Sohn hat letztes Jahr eine Reise gemacht.	○	○
4	Marianne hat vor 25 Jahren einen tollen Mann kennengelernt.	○	○
5	Sie ist jetzt Studentin.	○	○

TRAINING: SCHREIBEN

1 Lesen Sie Fabios Beitrag. Lesen Sie dann die Notizen und ergänzen Sie den Beitrag von Alina im Forum.

Beruf oder Traumberuf?

Fabio, 7. Juli

Ich gehe noch zur Schule, aber ich will unbedingt Musiker werden.
Wie ist es bei euch? Was macht ihr? Gefällt es euch? Ist das euer Traumberuf?
Was wollt ihr unbedingt noch machen? Schickt mir eure Beiträge.

Beruf oder Traumberuf?
Was mache ich jetzt? Ausbildung als Verkäuferin
Gefällt es mir? langweilig, arbeite oft lange, verdiene nicht viel
Was ist mein Traumberuf? Schauspielerin
Was will ich noch machen? Schauspielschule

Alina, 7. Juli

Ich ______________________________.
Das ist ______________! Ich mache jeden Tag das Gleiche. Ich ______________ und ich ______________. Eigentlich will ich ______________. Ich spiele in meiner Freizeit Theater. Vielleicht melde ich mich nächstes Jahr bei einer ______________ an.

2 Machen Sie wie in 1 Notizen zu den Fragen und schreiben Sie dann einen Beitrag ins Forum.

TIPP

Sie haben Probleme beim Schreiben? Sammeln Sie Ideen und machen Sie Notizen. Machen Sie Sätze aus Ihren Notizen.
Nach dem Schreiben: Lesen Sie Ihren Text noch dreimal und suchen Sie Fehler.
1. Lesen: Steht das Verb immer an der richtigen Position?
2. Lesen: Hat das Verb die richtige Form?
3. Lesen: Sind die Wörter richtig geschrieben?

TRAINING: AUSSPRACHE *Internationale Wörter*

AUSSPRACHE – -nal – AUSSPRACHE

▶ 2 18

1 Hören Sie und markieren Sie den Wortakzent.

		meine Sprache / andere Sprachen
a	international	*international*
b	komponieren	
c	interessant	
d	Musik	
e	elegant	
f	Instrument	
g	Technik	
h	studieren	
i	Akademie	
j	Familie	
k	Politiker	
l	Produktion	

Ergänzen Sie die Wörter in Ihrer Sprache oder in einer anderen Sprache. Markieren Sie auch hier den Wortakzent.

2 Wie viele internationale Wörter kennen Sie? Notieren Sie und sprechen Sie die Wörter.

notieren
reparieren

TEST

1 Ergänzen Sie.

WÖRTER

Geld | Führerschein | Wunsch | Fremdsprachen | Sängerin | ~~Prüfungen~~ | Welt

Die Klasse 12a hat alle Prüfungen (a) geschafft. Wie geht es weiter? David möchte den ______________ (b) machen und mit dem Auto durch Australien reisen. Nicole will ______________ (c) werden. Martin will viel ______________ (d) verdienen und nach ein paar Jahren um die ______________ (e) segeln. Sophia hat nur einen ______________ (f). Sie möchte bald heiraten. Wilson spricht vier ______________ (g) und möchte Bücher übersetzen. _/6 PUNKTE

2 Kreuzen Sie an und ergänzen Sie die Endung, wo nötig.

STRUKTUREN

a David möchte allein, ○ mit ⊗ ohne seine Eltern, in Australien leben.
b Nicoles Eltern finden ihren Berufswunsch gut, aber nur ○ mit ○ ohne ein____ Ausbildung.
c Martin kauft immer viel ein. Er geht nie ○ mit ○ ohne sein____ Kreditkarte aus dem Haus.
d Sophia will zusammen ○ mit ○ ohne ihr____ Mann drei Kinder haben.
e Man sieht Wilson nie ○ mit ○ ohne sein____ Buch, er liest immer. _/8 PUNKTE

3 Schreiben Sie Sätze mit *wollen*.

STRUKTUREN

a ■ Tom, machst du bitte deine Hausaufgaben!
▲ Nein, ich will Radio hören. (ich/Radio hören)
b ■ Wann ______________ (ihr/heiraten)?
▲ Nächstes Jahr im April.
c ■ Welche Fremdsprache ______________? (Sie/lernen)
▲ Dänisch.
d ■ Was ______________? (du/werden)
▲ Popstar. _/3 PUNKTE

4 Ergänzen Sie *auf keinen Fall*, *vielleicht* oder *unbedingt*.

KOMMUNIKATION

a Die Sitzung ist sehr wichtig. Der Chef will den Termin ______________ absagen.
b Franz möchte Lehrer werden oder ______________ auch Politiker.
c Ich lerne jetzt jeden Tag. Ich will ______________ die Prüfung schaffen.
d Das Wetter ist so schlecht. Ich möchte ______________ mit dem Rad fahren.
e Katharina will ______________ Französisch lernen. Sie hat einen Job in Paris. _/5 PUNKTE

Wörter	Strukturen	Kommunikation
0–3 Punkte	0–5 Punkte	0–2 Punkte
4 Punkte	6–8 Punkte	3 Punkte
5–6 Punkte	9–11 Punkte	4–5 Punkte

www.hueber.de/menschen/lernen

LERNWORTSCHATZ

1 Wie heißen die Wörter in Ihrer Sprache? Übersetzen Sie.

Ausbildung

Ausbildung die, -en
Ausland das
Chance die, -n
Fremdsprache die, -n
Geld das
Politiker der, -
Prüfung die, -en
eine Prüfung schaffen, hat geschafft
Sänger der, -
Sängerin die, -nen
Star der, -s

ab·schließen, hat abgeschlossen
eine Ausbildung abschließen
an·melden, hat angemeldet
verdienen, hat verdient
werden, du wirst, er wird, ist geworden
wollen, ich will, du willst, er will, hat gewollt

unbedingt
auf keinen Fall

Weitere wichtige Wörter

Europa (das)
Führerschein der, -e
Instrument das, -e
Kreditkarte die, -n
Lied das, -er
Motorrad das, ⸚er
Welt die
Wunsch der, ⸚e

heiraten, hat geheiratet
laufen, du läufst, er läuft, ist gelaufen
A/CH: rennen, ist gerannt
(laufen = (zu Fuss) gehen)
reisen, ist gereist
putzen, hat geputzt

ohne

TIPP Suchen Sie Wörter zu einem Thema.

Musik: Sänger, Lied, Instrument spielen, singen, tanzen, Konzert

2 Welche Wörter möchten Sie noch lernen? Notieren Sie.

Geben Sie ihm doch diesen Tee!

KB 2 **1** **Lesen Sie das Telefongespräch und ergänzen Sie.**

WÖRTER

Arme | bleibe | Fieber | hoch | huste | schmerzen | ~~krank~~ | weh

■ Hallo Lea, ich kann heute leider nicht zum Schwimmen kommen. Ich muss absagen.
▲ Warum denn?
■ Ich bin krank.
▲ Oh, was hast du denn?
■ Ich habe Kopf__________ und ich __________.
▲ Oh, das tut mir leid. Hast du auch __________?
■ Ja, es ist nicht sehr __________. Aber gut geht es mir nicht. Und meine __________ und Beine tun auch __________.
▲ Ach Mensch! Wie schade!
■ Ja, das finde ich auch. Also, ich __________ lieber im Bett.

2 **Was ist das? Notieren Sie.**

WÖRTER

a Dort können Sie Medikamente bekommen. __________
b Haben Sie Kopfschmerzen? Dann können sie helfen. Sie sind oft klein und weiß. Tabletten
c Sie bekommen es beim Arzt und gehen damit zur Apotheke. __________
d Hier arbeitet der Arzt. __________
e Haben Sie Schmerzen in den Beinen? Dann kann sie helfen. Sie sollen sie auf keinen Fall essen. __________
f Ein anderes Wort für „Arzt“. __________
g So heißen Tabletten, Salben und vieles mehr. __________

KB 3 **3** **Was sagt der Arzt? Schreiben Sie im Imperativ.**

STRUKTUREN

a Soll ich viel trinken? Ja, trinken Sie viel!
b Soll ich im Bett bleiben? __________
c Soll ich diese Salbe nehmen? __________
d Soll ich die Medikamente in der Apotheke abholen? __________

KB 3 **4** **Aussagen, Fragen und Imperativsätze**

STRUKTUREN ENTDECKEN

a Ordnen Sie die Sätze zu.

Holst du das Rezept in der Praxis ab? | Ich hole das Rezept in der Praxis ab. | Holen Sie das Rezept bitte in der Praxis ab!

	Position 1	Position 2
Aussage: __________	○	○
Ja-/Nein-Frage: __________	○	○
Imperativsatz: __________	○	○

b Markieren Sie die Verben in a. Kreuzen Sie dann an: Wo stehen die Verben?

KB 3 KOMMUNIKATION

5 Schreiben Sie Ratschläge mit *doch*.

Ihr Nachbar arbeitet ein halbes Jahr nicht. Geben Sie Ratschläge!

Soll ich um die Welt segeln oder soll ich zu Hause bleiben?

a Reisen Sie doch durch Europa!
(durch Europa reisen)

b ______________________________.
(ins Ausland gehen)

c ______________________________.
(ein Instrument lernen)

d ______________________________.
(den Motorradführerschein machen)

e ______________________________.
(noch eine Fremdsprache lernen)

KB 3

6 Notieren Sie fünf Probleme und tauschen Sie mit Ihrer Partnerin / Ihrem Partner.

Ihre Partnerin / Ihr Partner gibt Ratschläge.

Problem	Ratschlag
Ich bin immer müde.	Machen Sie doch Sport!

KB 3 STRUKTUREN

7 Ergänzen Sie *sollen* in der richtigen Form.

a Ich habe seit 3 Wochen Kopfschmerzen. Was soll ich tun?
b Was hat der Doktor gesagt? __________ du im Bett bleiben?
c Die Lehrerin hat gesagt, wir __________ oft Deutsch sprechen.
d Und was __________ ihr noch machen?
e Der Techniker __________ morgen die Heizung reparieren.
f Der Arzt sagt, Sie __________ morgen Vormittag noch einmal kommen.

KB 4 WÖRTER

8 Suchen Sie Körperteile, notieren und zeichnen Sie.

~~Köp~~ | Häl | Fin | Rü | Bäu | ~~fe~~ | che | me | de | ger | Bei | cken | se | ne | Fü | ren | ße | Knie | Oh | Au | Ar | gen | ne | Hän | Zäh

Singular	Plural
• Kopf	Köpfe

KB 4

9 Ergänzen Sie aus 8 und vergleichen Sie.

Deutsch	Englisch	Meine Sprache oder andere Sprachen
Kopf	head	
	arm	
	finger	
Bein	leg	
Auge	eye	
	knee	
	hand	

KB 5 KOMMUNIKATION

10 Was tut Ihnen weh? Notieren Sie.

a Ich habe Rückenschmerzen.
b Meine Beine tun weh.
c Ich ______________________.
d Mein ______________________.
e Ich ______________________.
f Meine ______________________.

a b c d e f

KB 5 KOMMUNIKATION

11 Ergänzen Sie das Gespräch.

hilft | viel Sport | schaffe ich nicht | einen Kräutertee | gegen Stress | einen Tipp

▲ Hallo Lina, wie geht's?
■ Na ja, es geht so. Ich habe gerade Probleme im Büro und super viel Stress.
▲ Oh je. Du Arme.
■ Was machst du so ______________________?
▲ Ich mache ______________________. Das ______________________.
■ Ja, das stimmt. Aber ich habe nur wenig Zeit. Das ______________________.
Du kennst mich ja. Hast du noch ______________________?
▲ Hm, vielleicht kannst du am Abend ______________________ trinken.
■ Das ist eine gute Idee. Den kaufe ich mir gleich heute Abend.

KB 6 LESEN

12 Was meint T. Lohmann? Lesen Sie den Text und kreuzen Sie an. Was ist richtig?

Wie essen wir gesund?

Der Ernährungswissenschaftler T. Lohmann sagt: „Essen Sie, was Sie wollen." Sie haben viel zum Thema Essen gelernt und gelesen? Vergessen Sie es! Es ist nicht wichtig. Es gibt keine gesunden und auch keine ungesunden Lebensmittel. Wir sollen fünfmal am Tag Obst und Gemüse essen? „Nicht unbedingt", sagt T. Lohmann. Möchten Sie Obst und Gemüse essen und schmeckt es Ihnen? Schön, dann essen Sie es. Sie möchten eigentlich gerade gar kein Obst und Gemüse essen? Dann sollen Sie es auch nicht tun.

Und wie essen wir dann gesund?
T. Lohmanns Ratschlag lautet: „Ihr Körper weiß es." Sie frühstücken immer morgens um 7.00 Uhr? Das sollen Sie nicht tun. Essen Sie nicht zu festen Zeiten! Fragen Sie immer Ihren Körper: Habe ich gerade Hunger?
Und was sollen wir essen? Auch das ist ganz leicht. Fragen Sie sich: „Was möchte ich gerade gern essen?" Unser Körper braucht viele verschiedene Nahrungsmittel und kann uns immer sagen, was gut für ihn ist.

a Wir sollen auf keinen Fall Obst und Gemüse essen. ○
b Wir sollen nur gesunde Lebensmittel essen. ○
c Wir sollen uns vor dem Essen fragen: „Habe ich Hunger?" ○
d Der Körper kann uns sagen: „Das ist gesund für mich." ○

TRAINING: HÖREN

▶ 2 19 **1** **Ansagen am Telefon**

Lesen Sie die Antworten und die Fragen. Hören Sie dann die Ansage und kreuzen Sie an.

	Welche Zeiten hören Sie?	Wann möchte Klaus Schneider zum Termin kommen?
Morgen, um 10.00 Uhr	◯	◯
Mittwoch, um 8.00 Uhr	◯	◯
Mittwoch, von 10.00 bis 12.00 Uhr	◯	◯

TIPP: Was ist beim Hören wichtig? Lesen Sie die Fragen genau und markieren Sie wichtige Wörter. Lesen Sie dann die Antworten. Alle Antworten können im Text vorkommen, aber achten Sie genau auf die Frage.

▶ 2 20 **2** **Was ist richtig? Kreuzen Sie an. Sie hören jeden Text zweimal.**

a Wann kann Frau Huber vielleicht wieder arbeiten?
◯ Heute Nachmittag.
◯ Morgen Vormittag.
◯ Morgen Nachmittag.

b Wo genau treffen sich Lea und David?
◯ An der Uni.
◯ Im Hotel.
◯ In der Bar.

c Was funktioniert nicht?
◯ Der Drucker.
◯ Das E-Mail-Programm.
◯ Die Internetverbindung.

d Wann können Sie in die Praxis kommen?
◯ Am Dienstagabend um 18.00 Uhr.
◯ Am Donnerstagmorgen um 7. 00 Uhr.
◯ Am Mittwochvormittag um 9.00 Uhr.

TRAINING: AUSSPRACHE *Satzmelodie in Imperativ-Sätzen*

AUSSPRACHE – AUSSPRACHE – !

▶ 2 21 **1** **Hören Sie und ergänzen Sie die Satzmelodie: ↘, ↗.**

a Trinken Sie Tee? ___
Nehmen Sie Vitamin C? ___
Trinken Sie Kaffee? ___
Arbeiten Sie viel? ___

b Trinken Sie viel Tee! ___
Nehmen Sie Vitamin C! ___
Trinken Sie keinen Kaffee! ___
Und arbeiten Sie nicht so viel! ___

2 **Ergänzen Sie ↘ oder ↗.**

REGEL: Die Satzmelodie geht bei Ja-/Nein-Fragen nach ________, bei Bitten und Ratschlägen nach ________.

▶ 2 22 **3** **Hören Sie und ergänzen Sie das Satzzeichen: ? oder !**

a Haben Sie Husten ___
b Probieren Sie Heilkräuter ___
c Schlafen Sie viel ___
d Essen Sie regelmäßig Obst ___
e Gehen Sie schwimmen ___
f Machen Sie Sport ___

▶ 2 23 **Hören Sie noch einmal und sprechen Sie nach.**

TEST

1 Ergänzen Sie die Körperteile.

WÖRTER

Ich habe eine Brust, einen B a u c h (a) und einen R_ _ _ _ _ (b),
zwei Arme, A _ _ _ _ (c), B _ _ _ _ (d), F _ _ _ (e), H _ _ _ _ (f), O _ _ _ _ (g) und Knie,
zehn F _ _ _ _ _ (h) und viele Zähne.

_ / 7 PUNKTE

2 Viele Ratschläge. Was sagen die Personen?

STRUKTUREN

a Der Arzt sagt, ich soll in die Apotheke gehen und Medikamente kaufen.
Arzt: „Gehen Sie in die Apotheke und kaufen Sie Medikamente!"
b Der Apotheker sagt, ich soll eine Tablette nehmen und viel Tee trinken.
Apotheker: „______________________________!"
c Der Chef sagt, ich soll zu Hause bleiben und alle Termine absagen.
Chef: „______________________________!"
d Der Kollege sagt, ich soll Obst essen und Sport machen.
Kollege: „______________________________!"

_ / 6 PUNKTE

3 Ergänzen Sie *sollen* in der richtigen Form.

STRUKTUREN

a ■ Wir sollen viele Orangen essen. Ist das richtig? ▲ Ja, sie sind sehr gesund.
b ■ Der Arzt sagt, ihr ________ viel Wasser trinken! ▲ Wir mögen aber kein Wasser!
c ■ Ich ________ jeden Tag fünf Tabletten nehmen. ▲ Das ist aber viel!
d ■ ________ Herr Meyer in die USA fliegen? ▲ Nein, Herr Herold.
e ■ Was ________ Tanja und Tamara noch einkaufen? ▲ Tomaten und fünf Brötchen bitte.
f ■ Du ________ doch im Bett liegen. ▲ Och, es ist so langweilig.

_ / 5 PUNKTE

4 Schreiben Sie.

KOMMUNIKATION

Leser S.
Rückenschmerzen | Tipp?

Frau Dr. Hauck
viel Sport machen | Apotheke/Salbe gegen Schmerzen holen | Arzt fragen

Leser S. aus Stuttgart: Ich habe ein Problem. Seit Monaten ______________________.
Haben Sie ________________?

Frau Dr. Hauck: Ja, das Problem haben viele. Diese Tipps sind jetzt wichtig für Sie:
______________________________.
Gehen Sie ______________________________ und
______________________________.
Das hilft nichts? Dann ______________________________.
Er kann Ihnen helfen. Alles Gute.

_ / 6 PUNKTE

Wörter	Strukturen	Kommunikation
0–3 Punkte	0–5 Punkte	0–3 Punkte
4–5 Punkte	6–8 Punkte	4 Punkte
6–7 Punkte	9–11 Punkte	5–6 Punkte

www.hueber.de/menschen/lernen

LERNWORTSCHATZ

1 Wie heißen die Wörter in Ihrer Sprache? Übersetzen Sie.

Gesundheit und Krankheit

Apotheke die, -n ______
Doktor der, -en ______
Fieber das ______
Husten der ______
Medikament das, -e ______
Medizin die ______
Pflaster das, - ______
Praxis die, Praxen ______
Rezept das, -e ______
Salbe die, -n ______
Schmerz der, -en ______
Schnupfen der ______
Tablette die, -n ______

husten, hat gehustet ______
weh·tun, hat wehgetan ______

gesund ______
krank ______

Körper

Arm der, -e ______
Auge das, -n ______
Bauch der, ¨-e ______
Bein das, -e ______
Brust die, ¨-e ______
Finger der, - ______
Fuß der, ¨-e ______
Hals der, ¨-e ______
Hand die, ¨-e ______
Knie das, - ______
Kopf der, ¨-e ______
Nase die, -n ______
Mund der, ¨-er ______
Ohr das, -en ______
Rücken der, - ______
Zahn der, ¨-e ______

Weitere wichtige Wörter

bleiben, ist geblieben ______
geben, du gibst, er gibt, hat gegeben ______
sollen, ich soll, du sollst, er soll ______

hoch ______

doch ______
gegen ______

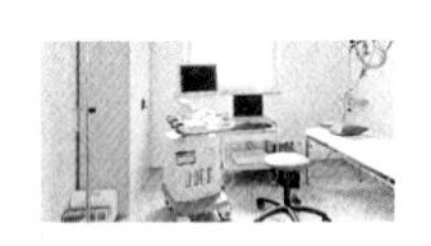

TIPP

Spielen Sie ein Memo-Spiel zum Thema „Gesundheit und Krankheit". Schreiben Sie einen Satz auf zwei Karten. Mischen Sie und finden Sie die Paare.

Mein Bein | tut weh.
Ich habe | Husten und Schnupfen.
Ich bin | krank.

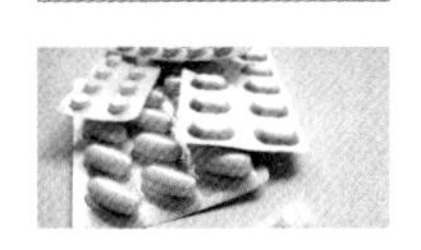

2 Welche Wörter möchten Sie noch lernen? Notieren Sie.

______
______
______
______
______
______
______

WIEDERHOLUNGSSTATION: WORTSCHATZ

1 Ergänzen Sie.

■ Guten Morgen Herr Doktor Peters. Können Sie mir helfen? Ich habe ______ weh und ______ schmerzen. Haben Sie vielleicht ein paar ______ für mich?

▲ Hallo Herr Graf, oh, das sieht ja gar nicht gut aus. Hier ist ein ______. Am besten bleiben Sie heute zu Hause. Essen Sie viel ______ und trinken Sie viel ______. Bald sind Sie wieder gesund.

2 Was passt nicht? Streichen Sie das falsche Wort durch.

a Führerschein – Auto – Motorrad – ~~Rezept~~
b Kreditkarte – Heizung – Bank – Geld
c Stunde – Wecker – Pflaster – Uhr
d Sitzung – Musik – Sängerin – Lied
e Fuß – Föhn – Bein – Brust
f Ausland – Fremdsprache – Europa – Fieber

3 Lösen Sie das Rätsel.

Hause | Angst | Bescheid | ~~Termin~~ | Sprache | Hilfe

(1) haben
(2) rufen
eine (3) lernen
zu (4) bleiben
einen T E R M I N (5) vereinbaren
(6) sagen

Lösungswort: Bleiben Sie _ _ _ _ N _ !
1 2 3 4 5 6

4 Im Hotel. Ergänzen Sie die Meinungen.

Fernseher | Aufzug | Dusche | Frühstück | ~~Hotel~~ | Zimmer | Klimaanlage

Gast Stefan S.:
☺ Das Hotel (a) gefällt mir gut. Das ______ (b) schmeckt gut.
☹ Leider hat die ______ (c) nicht funktioniert und es war sehr heiß in meinem ______ (d).

Gast Marlene Z.:
☺ Alle Zimmer haben ein Bad mit ______ (e) und Föhn.
☹ Ich kann nicht gut gehen und es gibt keinen ______ (f) im Hotel. Das war ein Problem für mich.

Gast Dagmar G.:
☺ Im Erdgeschoss steht ein ______ (g) für alle Gäste.
☹ Nichts!

HOTEL

Hotel Mirabell, im Zentrum von Bremen, 13 Zimmer, Bar, ab 49 Euro

WIEDERHOLUNGSSTATION: GRAMMATIK

1 Ergänzen Sie in den Notizen die Präpositionen.

a Bin bei Chris. Komme _in_ zwei Stunden zurück.
b Hallo Schatz, ich komme heute Abend ____________ der Arbeit nicht nach Hause – gehe mit Kathrin ins Theater. Gruß M. ♥
c Fahre ____________ drei Tage nach Salzburg. Komme ____________ Montag zurück.
d Liebe Frau Meinert, ich gehe morgen ____________ der Arbeit zum Arzt. Komme erst ____________ 10 Uhr. Grüße Lena Daum

2 Ergänzen Sie *ohne* oder *mit* und den Artikel.

3 Ergänzen Sie *wollen* in der richtigen Form.

GIG122: Hi Sophie, sag mal, was ____________ du denn in den Semesterferien machen?
SoSa13: Das weiß ich noch nicht so genau. Ich ____________ vielleicht nach Portugal fahren. Und du?
GIG122: Jan und ich ____________ eigentlich den Führerschein machen, aber wir haben nicht genug Geld.
SoSa13: Wie dumm.
GIG122: Ja, wirklich dumm. Jans Eltern ____________ ihm auch kein Geld geben.
SoSa13: Das finde ich aber nicht nett.

4 Im Hotel. Was soll das Zimmermädchen tun?

Warum denn?

Puh, so viel Arbeit! Ich schaffe das alles nicht!

Die Chefin sagt,

a Putzen Sie das Bad von Zimmer 233. — _ich soll das Bad von Zimmer 233 putzen._
b Bringen Sie Handtücher in Zimmer 311. — ____________
c Vereinbaren Sie bitte für Frau Holler einen Termin beim Friseur. — ____________
d Machen Sie Ordnung in Zimmer 235. — ____________

SELBSTEINSCHÄTZUNG Das kann ich!

Ich kann jetzt …

… Hilfe anbieten: L16

Was ______________________________ tun?
Ich ____________________ sofort darum.

… um Hilfe bitten / mich beschweren: L16

____________________, ______________________________ helfen?
____________________ keine Handtücher.
Die Heizung ____________________ nicht.

… Termine verschieben: L16

Können wir ____?
Ich ____________________ am Montag ____________________.
Passt __________ am Montag?

… etwas entschuldigen: L16

K__________ P____________________! / Das m______________________________.

… Wünsche äußern / über Pläne sprechen: L17

Ich __________ unbedingt noch ein Instrument ____________________.
Ich __________ auf keinen Fall Sänger/Sängerin ____________________.

… Schmerzen beschreiben: L18

Mein Kopf ____________________.
____________________ Halsschmerzen.

… um Hilfe / Ratschläge bitten: L18

Wer ____________________ helfen?
Was machst ______________________________ Halsschmerzen?

… Ratschläge geben und Ratschläge wiedergeben: L18

____________________ Sie doch ______________________________!
Angelika sagt, ich ____.

Ich kenne …

… 6 Dinge im Hotel: L16

Diese Dinge sind mir wichtig: ______________________________
Diese Dinge sind mir nicht wichtig: ______________________________

… 6 Pläne und Wünsche: L17

Das will ich unbedingt noch machen: ______________________________
Das will ich auf keinen Fall machen: ______________________________

… 10 Körperteile: L18

____

… 10 Wörter zum Thema Krankheit / Gesundheit: L18

____

SELBSTEINSCHÄTZUNG Das kann ich!

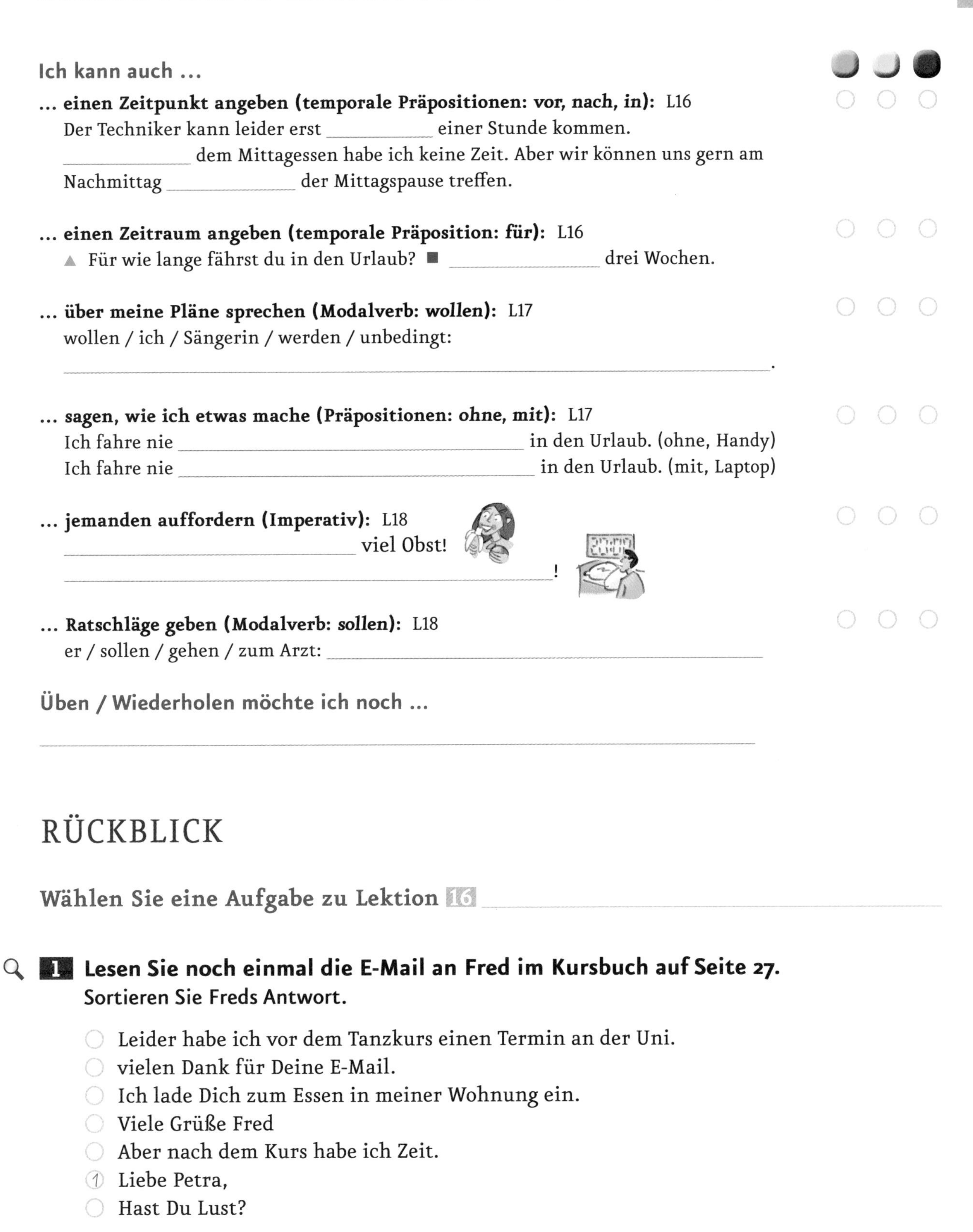

Ich kann auch ...

... einen Zeitpunkt angeben (temporale Präpositionen: vor, nach, in): L16
Der Techniker kann leider erst __________ einer Stunde kommen.
__________ dem Mittagessen habe ich keine Zeit. Aber wir können uns gern am Nachmittag __________ der Mittagspause treffen.

... einen Zeitraum angeben (temporale Präposition: für): L16
▲ Für wie lange fährst du in den Urlaub? ■ __________ drei Wochen.

... über meine Pläne sprechen (Modalverb: wollen): L17
wollen / ich / Sängerin / werden / unbedingt:
____.

... sagen, wie ich etwas mache (Präpositionen: ohne, mit): L17
Ich fahre nie __________________ in den Urlaub. (ohne, Handy)
Ich fahre nie __________________ in den Urlaub. (mit, Laptop)

... jemanden auffordern (Imperativ): L18
__________________ viel Obst!
__________________________________!

... Ratschläge geben (Modalverb: sollen): L18
er / sollen / gehen / zum Arzt: __________________

Üben / Wiederholen möchte ich noch ...

____

RÜCKBLICK

Wählen Sie eine Aufgabe zu Lektion 16

1 Lesen Sie noch einmal die E-Mail an Fred im Kursbuch auf Seite 27.
Sortieren Sie Freds Antwort.

- ◯ Leider habe ich vor dem Tanzkurs einen Termin an der Uni.
- ◯ vielen Dank für Deine E-Mail.
- ◯ Ich lade Dich zum Essen in meiner Wohnung ein.
- ◯ Viele Grüße Fred
- ◯ Aber nach dem Kurs habe ich Zeit.
- ① Liebe Petra,
- ◯ Hast Du Lust?

2 Schreiben Sie eine E-Mail.

Eine Freundin hat Sie am Samstag zum Abendessen eingeladen. Sie haben keine Zeit. Sagen Sie warum und machen Sie einen anderen Vorschlag.

RÜCKBLICK

Wählen Sie eine Aufgabe zu Lektion 17

1 Lesen Sie noch einmal Ihre Pläne im Kursbuch auf Seite 31 (Aufgabe 6). Wann wollen Sie was machen? Schreiben Sie.

Im August / Im Sommer ...
In zwei Jahren ...
In zehn Jahren ...
...

Im August mache ich einen Segelkurs.
Ich kaufe vielleicht in zwei Jahren ein Motorrad.
...

2 Sie haben 100 000 € gewonnen. Was machen Sie? Schreiben Sie.

Reisen?
Hobbys?
Auto?
...

Ich möchte ...
Natürlich will ich auch ...

Wählen Sie eine Aufgabe zu Lektion 18

1 Lesen Sie noch einmal den Ratgeber im Kursbuch auf Seite 35 und notieren Sie.

Diese Körperteile stehen im Text: ____________________
Diese Körperteile stehen nicht im Text: ____________________

2 Was machen Sie gegen Stress? Machen Sie Notizen und schreiben Sie dann einen Ratgeber.

Gegen Stress hilft: ____________________

Ninas Ratgeber gegen Stress
Gehen Sie doch einmal in der Woche schwimmen!
Trinken Sie doch am Abend einen Kräutertee!
...

WIEDERSEHEN IN WIEN

Teil 2: Ich habe Bauchschmerzen!

„Guten Morgen, Anja! Gut geschlafen?"
„Naja …"
„Was möchtest du zum Frühstück? Tee? Kaffee? Semmeln[1]? Ein Ei?"
„Gar nichts."
„Nichts? Was ist los?"
„Ich … ich bin krank. Ich habe Bauchschmerzen."
„Oje, sollen wir zum Arzt gehen?"
„Ja, es geht mir wirklich nicht gut."
Herr Rossmann bellt.
„Nein, Herr Rossmann, du kannst nicht mitkommen."
Herr Rossmann bellt wieder. Er legt sich auf den Boden.
„Ich glaube, Herr Rossmann ist auch krank", sagt Anja.
„Anja ist krank, also ist Herr Rossmann auch krank … Ok, du darfst mitkommen. Aber du musst im Auto warten."

Beim Arzt sitzt Paul im Wartezimmer und liest Zeitung.
„Paul … bist du das?", fragt eine Frau.
„Äh, ja, ich bin Paul. Und Sie sind …? Ach, Lisa! Das gibt es ja nicht! Wie geht's dir? Was machst du jetzt?"
„Ich bin Architektin. Und du?"
„Ich bin Journalist."
„Wir haben uns seit der Schule nicht mehr gesehen."
„Viel zu lang!"
„Ja, wirklich."
Anja kommt zurück: „Paul, alles in Ordnung, der Doktor hat mir Tabletten gegeben. Er sagt, bald sind die Bauchschmerzen weg."
Paul sieht noch immer Lisa an.
„Paul …?"
„Oh, Entschuldigung. Das ist super, Anja. Schau mal, ich habe eine Freundin aus der Schule getroffen: Lisa."
„Ich mache am Samstag eine Geburtstagsfeier", sagt Lisa. „Wollt ihr auch kommen?"
„Ja, sehr gern", sagt Paul. „Super!"
Lisa gibt ihnen ihre Adresse, dann gehen sie zurück zum Auto.
„Herr Rossmann, bist du noch immer krank?", fragt Anja.
Herr Rossmann bellt ganz leise.
„Oh, du Armer! Sieh mal, der Arzt hat mir Medizin für dich gegeben."
Anja gibt Herrn Rossmann bunte Hunde-Bonbons.
„Na, geht's wieder besser?"
Herr Rossmann bellt. Alles wieder super …
„Ich freue mich auf die Party!", sagt Paul.
„Lisa ist sehr nett! Was sagst du?"
„Hm … ja."
„Und sie sieht auch toll aus."
„Hm … naja."

1 Semmel die, -n: in Österreich und Süddeutschland für *Brötchen*

Der hatte doch keinen Bauch!

KB 4 STRUKTUREN

1 Das war Herbert früher. Das ist er heute. Ordnen Sie zu.

~~hatte~~ | ~~hat~~ | hatten | war | hat | ist | hatte | hat | haben | waren | hatte

	Früher ...	**Heute ...**
a	hatte Herbert Locken und seine Haare ______ lang.	hat er kurze Haare.
b	______ er sehr dünn.	______ er ein bisschen dick.
c	______ er eine Brille.	______ er keine Brille.
d	______ er einen Bart.	______ er keinen Bart.
e	______ er und seine Freundin nur Fahrräder.	______ er und seine Frau ein Auto.

KB 4 STRUKTUREN

2 Ergänzen Sie *haben* oder *sein* im Präteritum.

Schau mal, hier sind Fotos von früher:
Das waren (a) mein Bruder, meine Schwester und ich vor 20 Jahren: Mein Bruder ______ (b) vier, ich ______ (c) sechs und meine Schwester ______ (d) zehn Jahre alt. Ich ______ (e) schon ein Fahrrad und ______ (f) sehr glücklich mit meinem Rad! Mein Bruder und ich ______ (g) immer fröhlich und wir zwei ______ (h) immer viel Spaß. Aber meine große Schwester ______ (i) immer nur mit ihren Freundinnen zusammen. Die ______ (j) nicht so sympathisch und haben nie mit uns gespielt.

KB 4 WÖRTER

3 Was passt? Kreuzen Sie an.

a Ich mag Herrn Brunner. Er ist immer sehr ○ unsympathisch. ⊗ freundlich.
b Warum bist du denn so ○ traurig? ○ langweilig? Kann ich dir helfen?
c Gina fährt nächste Woche in Urlaub und ist total ○ interessant! ○ glücklich!
d Ich mag unseren neuen Chef nicht. Ich finde ihn ziemlich ○ unfreundlich. ○ fröhlich.
e Sag mal, hast du Anna gesehen? Sie sieht wirklich super aus! Früher war sie dick und jetzt ist sie so ○ glatt. ○ schlank.
f Luisa ist manchmal sehr ○ seltsam. ○ dick. Hat sie Probleme?

KB 4

4 Suchen Sie in einer Zeitschrift oder im Internet Fotos von drei Frauen oder drei Männern.

Beschreiben Sie die Frauen/Männer auf drei Kärtchen. Ihre Partnerin / Ihr Partner rät: Welche Beschreibung passt zu welchem Foto?

Der Mann ist dünn und groß. Er ...

Die Frau finde ich hübsch und ...

KB 4 **5** **Wie heißt das Gegenteil? Schreiben Sie.**

Wörter

a interessant — uninteressant / langweilig
b freundlich — ________
c sympathisch — ________
d dick — schlank / ________
e glücklich — ________ / ________

KB 6b **6** **Lesen Sie die SMS.**

Strukturen entdecken

a **Markieren Sie die trennbaren Verben blau und die nicht trennbaren Verben grün.**

(1)
Hallo Johnny,
Herr Sander hat angerufen und sich beschwert.
Du warst gestern nicht in der Sitzung und hast Dich auch nicht entschuldigt.
LG Martina

(2)
Hi Martina,
Entschuldigung!
Das habe ich total vergessen.
Grüße
Johnny

(3)
Hi Sophie, Sina hat uns am Samstag zum Essen eingeladen.
Hast Du Zeit?
LG Anna

(4)
Ohh, die SMS habe ich nicht bekommen.

(5)
Hi Alex,
und? Wie hat Dir die Party gefallen?
LG Frieda

(6)
Hallo Frieda, sehr gut!
Elena habe ich fast nicht erkannt! Super Frau! Ich habe sie nach der Party im Auto mitgenommen.
LG Alex

b **Sortieren Sie die Partizipien und ergänzen Sie den Infinitiv.**

trennbar		**nicht trennbar**	
Partizip	Infinitiv	Partizip	Infinitiv
angerufen	anrufen	beschwert	(sich) beschweren
…	…	…	…

KB 6

7 Ergänzen Sie das Verb im Perfekt.

STRUKTUREN

~~sich entschuldigen~~ | gehören | gefallen | beschweren | vergessen | bekommen

a Warum hast du dich bei Simon nicht entschuldigt?
b Haben Sie die E-Mail von Professor Klüger schon ______________?
c Wie hat Ihnen das Konzert ______________?
d War das Essen wirklich schlecht? Hast du dich ______________?
e Ich muss noch einmal ins Büro gehen. Ich habe mein Handy ______________.
f Das Auto hat mir früher ______________.

KB 7

8 Haben Sie schon einmal einen Promi getroffen?

Lesen Sie den Forumsbeitrag und antworten Sie dann *petersilie*.

ANTWORTEN	1 2 3 11 51 > >> ▼
petersilie	Thema-Optionen ▼ Thema durchsuchen ▼ Ansicht ▼
Registriert seit: 24.09.2010 Beiträge: 682	**Welchen Promi habt ihr schon mal getroffen?** Mir ist gerade ein bisschen langweilig, deshalb meine Frage: Welchen Promi, welche berühmte Person, habt ihr schon mal getroffen? Also, beim Einkaufen oder im Zug oder so. Habt ihr den Promi gleich erkannt? Wie hat er/sie ausgesehen?

SCHREIBEN

Beantworten Sie folgende Fragen.

- Haben Sie schon einmal einen Promi getroffen?
- Wer war das?
- Wann und wo war das?
- Wie hat er/sie ausgesehen?
- Was hat er/sie gemacht?

Also, ich habe mal den Regisseur Tom Tykwer gesehen. Das war 2011 auf dem Filmfest in Berlin. Er ist direkt vor mir über den roten Teppich gegangen. Ich habe ihn gar nicht erkannt.

Sie haben noch nie einen Promi getroffen? Dann schreiben Sie eine Fantasiegeschichte.

KB 8

9 Wie können Sie reagieren? Ergänzen Sie.

KOMMUNIKATION

a ■ Gehört der Porsche Juliane?
▲ Ach was! Das glaube ich nicht. Sie hat doch nicht so viel Geld!

b ■ Lolita hat am Samstag geheiratet.
▲ _ a _ _ _ _ _ _ _! Sie ist doch erst seit einem Monat geschieden.

c ■ Gestern habe ich Michael Ballack am Flughafen gesehen.
▲ _ _ h _? Bist du sicher?
■ Ja natürlich! Glaubst du, ich erkenne Michael Ballack nicht?

d ■ Hast du schon gehört? Frau Bauer ist ab 1.5. unsere neue Chefin.
▲ _ _ _ _ o _ _! Frau Bauer? Das kann doch nicht sein! Sie ist doch erst seit einem Monat hier!
■ Doch. Sie hat es mir heute Morgen gesagt.

TRAINING: SPRECHEN

1 Ihre Freundin / Ihr Freund hat ihren Traummann / seine Traumfrau kennengelernt. Was möchten Sie wissen?

a Sammeln Sie Fragewörter.

Wer ... *Wie ...*
Was ... *Wo ...*
Woher ...

TIPP
Welche Fragen kann ich stellen? Machen Sie eine Liste mit Fragewörtern und notieren Sie zu dem Thema Fragen.

b Notieren Sie fünf Fragen auf Kärtchen.

Was macht sie/er beruflich?

Wie sieht sie/er aus?

Wo hast du die Frau / den Mann kennengelernt?

2 Spiel: Meine Traumfrau / Mein Traummann. Spielen Sie zu viert.

Legen Sie alle Kärtchen auf einen Stapel. Person A zieht eine Karte und fragt Person B. Person B beschreibt ihren Traummann / seine Traumfrau. Dann zieht Person B eine Karte und fragt Person C ...

(A) Wie sieht sie/er aus?

(B) Er ist blond und hat blaue Augen. Wo hast du deine Traumfrau / deinen Traummann kennengelernt?

(C) Im Supermarkt. Was macht sie/er beruflich?

TRAINING: AUSSPRACHE *Wortakzent bei trennbaren und nicht trennbaren Verben*

▶ 2 24 **1 Hören Sie die Wörter und markieren Sie den Wortakzent.**

<u>aus</u>sehen – be<u>kom</u>men – entschuldigen – gefallen – erkennen – mitnehmen – anmelden – absagen – vergessen – einkaufen

2 Ordnen Sie die Wörter aus 1 zu.

trennbar	nicht trennbar
aussehen	*bekommen*

3 Wo ist der Wortakzent? Kreuzen Sie an.

REGEL

	1. Silbe	2. Silbe
Bei trennbaren Verben:	○	○
Bei nicht trennbaren Verben:	○	○

▶ 2 25 **4 Hören Sie das Gespräch.**

■ Entschuldigen Sie! Kennen wir uns nicht? Sie sind doch Susi Meier. Ich habe Sie gleich erkannt.
▲ Äh ... ja ... Wie war noch gleich Ihr Name? Ich habe ihn wohl vergessen.
■ Ich heiße Peter. ... Susi, Sie sehen toll aus! Kann ich Sie irgendwohin mitnehmen?
▲ Danke, nein. Ich muss noch einkaufen und bekomme noch Besuch.
■ Schade. Na ja, vielleicht ein anderes Mal.
▲ Ja, gern ... ein anderes Mal.

▶ 2 26 **Hören Sie noch einmal und sprechen Sie nach.**

TEST

1 Ergänzen Sie das Gespräch.

WÖRTER

- ■ Wie sieht Sarah van der Ahe aus?
- ▲ Sie steht am Eingang. Sie ist s c h l a n k (a) und hat k _ _ _ _ (b) braune H _ _ _ _ (c).
- ■ Sie ist wirklich h _ _ _ _ _ (d) .
- ▲ Ja, das finde ich auch.
- ■ Und wer ist der Mann neben ihr mit dem B _ _ _ (e)?
- ▲ Hat er dunkle L _ _ _ _ _ (f)? Dann ist es Louis.

_ / 5 PUNKTE

2 Ergänzen Sie *haben* und *sein* in der richtigen Form.

STRUKTUREN

a ■ ____________ du früher auch blonde Haare? ▲ Nein, braune.
b ■ Wie geht es Frau Brunner? ____________ sie wieder gesund?
▲ Sie ____________ vier Wochen im Krankenhaus.
c ■ Was bist du von Beruf?
▲ Früher ____________ ich Krankenschwester, heute ____________ ich Ärztin.
d ■ Wo ____________ ihr gestern Abend? ▲ Im Büro. Wir ____________ viel Stress.

_ / 7 PUNKTE

3 Ordnen Sie zu und ergänzen Sie die Verben in der richtigen Form.

STRUKTUREN

sagen | ~~gefallen~~ | kommen | tanzen | entschuldigen | erkennen | vergessen

- ■ Wie hat dir Melanies Party gefallen (a)?
- ▲ Gut. Leider bin ich zu spät ____________ (b) und ich habe ihr Geburtstagsgeschenk ____________ (c).
- ■ Was hat sie ____________ (d)?
- ▲ Natürlich nichts. Aber ich habe mich ____________ (e). Wir haben dann viel zusammen ____________ (f). Die Musik war super.
- ■ Stimmt! Hast du den Sänger ____________ (g)? Das war Richie.

_ / 6 PUNKTE

4 Ergänzen Sie das Gespräch.

KOMMUNIKATION

- ▲ Richie? A _ _ w _ s! (a) Das war doch nicht Richie. Richie hat lange Haare und einen Bart.
- ■ Das war früher. Jetzt hat er kurze Haare und keinen Bart mehr.
- ▲ E _ _ _ ? (b)
- ■ Und – das glaubst du nicht – er ist verheiratet.
- ▲ _ c _ _ o _ m! (c)
- ■ Und er hat fünf Kinder.
- ▲ W _ _ _ s i _ _ ! (d) – Wann kommt denn der Bus? Es ist schon halb eins.
- ■ A _ _ _ u _ i e _ e Z _ i _ ! (e) Der Bus fährt nur bis 24 Uhr.

_ / 5 PUNKTE

Wörter		Strukturen		Kommunikation	
●	0–2 Punkte	●	0–6 Punkte	●	0–2 Punkte
◐	3 Punkte	◐	7–10 Punkte	◐	3 Punkte
○	4–5 Punkte	○	11–13 Punkte	○	4–5 Punkte

www.hueber.de/menschen/lernen

LERNWORTSCHATZ

1 Wie heißen die Wörter in Ihrer Sprache? Übersetzen Sie.

Aussehen
Bart der, ¨-e ______
Haar das, -e ______

blond ______
dick ______
dünn ______
glatt ______
grau ______
hübsch ______
schlank ______

Charakter
freundlich/ unfreundlich ______
fröhlich ______
glücklich/ unglücklich ______
komisch ______
seltsam ______
sympathisch/ unsympathisch ______
traurig ______

Weitere wichtige Wörter
Bäckerei die, -en ______
Hausfrau die, -en ______

beschweren (sich), hat sich beschwert ______
erkennen, hat erkannt ______
geboren sein, ist geboren ______
vergessen, du vergisst, er vergisst, hat vergessen ______

gleich ______
laut ______
ledig ______

TIPP Machen Sie Wortbilder.

vergessen

schlank

2 Welche Wörter möchten Sie noch lernen? Notieren Sie.

Komm sofort runter!

KB 4 **1** **Familie Richter räumt die Küche auf. Wer macht was? Schreiben Sie.**

WÖRTER

a Frau Richter *räumt die Waschmaschine aus* ______.
b Herr Richter ______.
c Sein Sohn ______.
d Seine Tochter ______.
e Oma ______.
f Opa ______.

KB 4 **2** **Was sollen Carla und Tim machen? Ordnen Sie zu.**

STRUKTUREN

waschen | gehen | schicken | ~~reparieren~~ | rausbringen | putzen | aufräumen

Tim:
Reparier bitte Carlas Fahrrad!
______ den Abfall ______!

Carla:
______ bitte unbedingt mal dein Zimmer ______!
______ bitte die Wäsche!

Tim und Carla:
______ bitte die Fenster in der Küche!
______ zusammen einkaufen!
Und ______ mir mal eine E-Mail!
Ich vermisse Euch schon jetzt! ☺
Eure Mama

KB 4 **3** **Schreiben Sie Sätze im Imperativ.**

STRUKTUREN

a Was? Ihr wollt schon fahren? *Kommt gut nach Hause!* (gut nach Hause kommen)
b Du hast den Job nicht bekommen? ______! (nicht traurig sein)
c Jakob, in der Küche steht so viel Geschirr! ______! (bitte Küche aufräumen)
d Ina, komm mal bitte! ______! (bitte mir kurz helfen)
e Opa schläft. Kinder, ______! (bitte nicht so laut sein)

KB 4

4 Schreiben Sie fünf Kärtchen mit einem Problem und fünf Kärtchen mit einer Lösung im Imperativ.

Ich habe Hunger.

Ich bin krank.

Iss etwas!

Geh doch zum Arzt!

Tauschen Sie mit Ihrer Partnerin / Ihrem Partner.
Sie/Er sucht: Welche Kärtchen passen zusammen?

KB 7

STRUKTUREN ENTDECKEN

5 Markieren Sie die Pronomen: Dativ grün, Akkusativ rot

a ■ Hast du Lisa und Susi mal wieder gesehen?
▲ Ja, ich habe sie gestern Abend getroffen.

b ■ Wir kommen um 18.40 Uhr an. Holst du uns ab?
▲ Ja, klar. Ich kann euch gern abholen.

c ■ Und? Hat dir der Film mit Matt Damon gefallen?
▲ Ich habe ihn noch nicht gesehen.

d ■ Hallo Julius, ich habe dich gestern im Allotria mit einer Frau gesehen. Wer war denn das?
▲ Ach, das ist Emma. Ich kenne sie schon lange.

e ■ Gehört der Koffer Ihnen?
▲ Jaja, der gehört mir.

f ■ Frau Weller hat viel Arbeit heute. Können Sie ihr bitte ein bisschen helfen?
▲ Ja, das mache ich gern.

KB 7

STRUKTUREN ENTDECKEN

6 Ergänzen Sie die Pronomen aus 5 in der Tabelle.

Nominativ	Akkusativ	Dativ
ich	mich	
du		
er		ihm
es	es	ihm
sie		
wir		uns
ihr		euch
sie/Sie	/Sie	ihnen/

KB 7 **7 Ergänzen Sie die Pronomen im Akkusativ.**

STRUKTUREN

a
Heute Abend kommt Oma. Das Bad ist nicht sauber. Kannst du *es* bitte putzen?

b
Hi Carola, kommst du heute Abend zum Essen? Ruf ________ bitte an. Hannes und Pia

c
Hallo Frau Gruber, danke für Ihren Anruf. Ich rufe ________ später zurück.

d
Anna kommt um 18.23 Uhr an. Kannst du ________ am Bahnhof abholen?

KB 7 **8 Schreiben Sie Sätze im Imperativ und mit Pronomen.**

STRUKTUREN

a ■ Hast du die Spülmaschine schon ausgeräumt?
▲ Nein.
■ Dann *räum sie bitte aus!*

b ■ Hast du schon den Müll runtergebracht?
▲ Nein.
■ Dann ______________________ !

c ■ Hast du die Küche geputzt?
▲ Nein.
■ Dann ______________________ !

d ■ Hast du das Fenster zugemacht?
▲ Nein.
■ Dann ______________________ !

KB 9 **9 Sie suchen ein Zimmer in einer WG.**

a Lesen Sie die Anzeigen.

Du suchst ein Zimmer und du liebst Katzen?
Dann bist du vielleicht unsere perfekte Mitbewohnerin!
Achtung: Wir (= Paula, Susi und drei Katzen) sind nicht sehr ordentlich, aber sehr sympathisch ☺
Schreib uns bitte:
paula.patent@t-online.de

Kannst du kochen? Magst du Partys?
Wir sind eine lustige WG und feiern gern zusammen.
Ihr auch? Suchen noch zwei Mitbewohner (ca. 20–30 Jahre) für Zimmer (350,– €); wg-kontakt@web.de

SCHREIBEN

b Wählen Sie eine Anzeige und schreiben Sie eine Antwort zu folgenden Punkten:
Wer sind Sie? Was studieren/arbeiten Sie? Wie sind Sie? Was machen Sie gern / nicht so gern im Haushalt?

Hallo ____________,
mein Name ist ____________, ich bin ____________ Jahre alt und ich suche ein Zimmer in einer WG.
Ich studiere/arbeite ______________________
Ich bin ______________________
____
Im Haushalt ______________________
Vielleicht wollt Ihr mich ja mal kennenlernen?

TRAINING: LESEN

1 Tanya arbeitet als Au-pair-Mädchen bei Familie Pichler. Was soll Tanya machen?
Sehen Sie die Bilder an. Lesen Sie dann den Notizzettel von Frau Pichler und ordnen Sie die Bilder den Sätzen zu. Achtung: Nicht alle Bilder passen.

A 
die Spülmaschine reparieren

C 
Sara nicht zu spät in den Kindergarten bringen

E 
auf Frau Leitners Anruf warten

B 
auf den Techniker warten

D 
einen Ausflug mit Sara machen

F 
Frau Leitner anrufen

Liebe Tanya,
ich bin schon fast weg. Hier noch schnell die letzten Informationen:

- Der Kindergarten macht morgen einen Ausflug. Bring Sara doch bitte schon um halb acht in den Kindergarten. (C)
- Um 10.00 Uhr kommt der Techniker und repariert die Spülmaschine. Sei bitte auf jeden Fall zu Hause. ( )
- Und vergiss bitte nicht den Einkauf für Frau Leitner. Sie ist immer noch krank. Sie wartet auf deinen Anruf. ( )

Dir einen schönen Tag und grüß die Kinder ganz lieb!
Bis morgen!
Maria

TIPP: Sehen Sie die Bilder immer genau an. So verstehen Sie den Text besser.

TRAINING: AUSSPRACHE *Satzmelodie (Zusammenfassung)*

▶ 2 27 **1 Hören Sie und ergänzen Sie die Satzmelodie: ↗, ↘.**

a Deckt bitte den <u>Tisch</u>. ↘
b Deckt ihr den <u>Tisch</u>? ↗
c Wann deckt ihr den <u>Tisch</u>? ___
d Ihr deckt den <u>Tisch</u>. ___
e Ich will <u>schlafen</u>. ___
f <u>Schläfst</u> du noch? ___
g <u>Warum</u> schläfst du noch? ___
h <u>Schlaf</u> nicht so lange. ___

▶ 2 28 **Hören Sie noch einmal und sprechen Sie nach.**

2 Ergänzen Sie die Satzmelodie: ↗, ↘ und sprechen Sie.

Räum auf, ___
wasch ab, ___
putz das Bad! ___
So geht das den ganzen Tag. ___
Was willst du noch? ___
Hast du noch nicht genug? ___
Hör endlich auf! ___
Ich kann nicht mehr. ___

▶ 2 29 **Hören Sie dann und vergleichen Sie.**

TEST

1 Was passt? Ordnen Sie zu.

WÖRTER

wischen | decken | rausbringen | abtrocknen | aufhängen | machen | ~~ausräumen~~

die Spülmaschine ausräumen
die Wäsche ______
das Geschirr ______
den Müll ______
das Bett ______
den Boden ______
den Tisch ______

_ / 6 PUNKTE

2 Ergänzen Sie den Imperativ.

STRUKTUREN

a (wischen – putzen)
Guten Morgen Milka. Bitte wisch den Boden und ______ die Fenster im Wohnzimmer. Bis nächste Woche.

b (ausräumen – decken – vergessen)
Hallo Kinder, ich komme um 19 Uhr. Bitte ______ die Spülmaschine ______ und ______ den Tisch. Kuss, Mama. ... Und ______ die Hausaufgaben nicht!

c (sein)
Florentin, das Konzert beginnt um 20 Uhr. ______ bitte pünktlich!

d (spülen – rausbringen)
Wie sieht es hier wieder aus! Tim und Steffi, bitte ______ das Geschirr und ______ den Abfall ______! Danke. Margret

_ / 7 PUNKTE

3 Ergänzen Sie die Personalpronomen im Akkusativ.

STRUKTUREN

a Die Türe ist auf. Kannst du sie bitte zumachen? – Ja gerne.
b Susanne und Peter, habt ihr am Samstag Zeit? Ich möchte ______ zum Essen einladen.
c Wo ist Dominik? Ich habe ______ nicht gesehen. – Er ist bei Max.
d Wann kommt ihr? – Um 13.34 Uhr. Kannst du ______ bitte abholen?
e Die Verbindung ist so schlecht, Daniel. Ich kann ______ nicht hören.
f Deine Eltern haben angerufen. – Wirklich? Ich rufe ______ gleich zurück.

_ / 5 PUNKTE

4 Schreiben Sie Sätze im Imperativ mit *bitte*.

KOMMUNIKATION

a (du: zurückrufen – Frau Lang) Bitte ruf Frau Lang zurück!
b (ihr: kommen – um 10 Uhr) ______!
c (du: sein – so nett) ______ und bring den Müll runter!
d (ihr: zumachen – Fenster) ______!
e (ihr: – sprechen – auf den Anrufbeantworter) Ich bin nicht zu Hause, ______!
f (du: machen – Kaffee) ______!

_ / 5 PUNKTE

Wörter	Strukturen	Kommunikation
● 0–3 Punkte	● 0–6 Punkte	● 0–2 Punkte
● 4 Punkte	● 7–9 Punkte	● 3 Punkte
● 5–6 Punkte	● 10–12 Punkte	● 4–5 Punkte

www.hueber.de/menschen/lernen

LERNWORTSCHATZ

1 Wie heißen die Wörter in Ihrer Sprache? Übersetzen Sie.

Im Haushalt

Abfall der, ¨-e
Boden der, ¨
Geschirr das
Haushalt der
Ordnung die / Unordnung die
Spülmaschine die, -n
CH: Abwaschmaschine die, -n
Wäsche die

ab·trocknen, hat abgetrocknet
ab·waschen, hat abgewaschen
spülen, hat gespült
Geschirr spülen
CH: den Abwasch machen oder abwaschen
waschen, hat gewaschen

ordentlich
sauber
schmutzig

Weitere wichtige Wörter

Anruf der, -e
Anrufbeantworter der, -
Antwort die, -en
Brief der, -e
Größe die, -n
Information die, -en

auf sein
CH: offen sein
hassen, hat gehasst
zu·machen, hat zugemacht

fertig
ganz
schnell

spülen – abwaschen

TIPP Suchen Sie Wörter mit gleicher oder ähnlicher Bedeutung.

2 Welche Wörter möchten Sie noch lernen? Notieren Sie.

Bei Rot musst du stehen, ...

KB 3 WÖRTER

1 Ergänzen Sie.

einen Helm tragen | Hunde nicht mitkommen | ~~stehen bleiben~~ | zu Fuß gehen

a Hier muss man stehen bleiben.

b Hier darf man nur ______________________.

c Motorradfahrer müssen ______________________.

d In die Bibliothek dürfen ______________________.

KB 3 STRUKTUREN ENTDECKEN

2 Ergänzen Sie die Tabelle. Hilfe finden Sie in 1 und am Beispiel von *können*.

	können	wollen	müssen	dürfen
ich	kann	will	muss	darf
du	kannst	willst	musst	
er/es/sie	kann	will		
wir	können	wollen		
ihr	könnt	wollt	müsst	
sie/Sie	können	wollen		

KB 3 STRUKTUREN

3 Sortieren Sie die Sätze.

a darf / Warum / hier / man / grillen / nicht
Warum darf man hier nicht grillen?

b nicht / Flugzeug / Im / darf / rauchen / ich
______________________.

c Radfahrer / Deutschland / Müssen / in / einen Helm / tragen
______________________?

d wir / See / Dürfen / baden / im
______________________?

e musst / Warum / heute / zu / bleiben / Hause / du
______________________?

f leider / Ihr / dürft / nicht / zelten / hier
______________________.

g Bibliothek / muss / Handy / In / mein / der / ausmachen / ich
______________________.

KB 3 **4** **Ergänzen und vergleichen Sie.**

WÖRTER

	Deutsch	Englisch	Meine Sprache oder andere Sprachen
	Grillen erlaubt	Barbecuing allowed	
		Parking allowed	
		Swimming allowed	
		Dogs allowed	

KB 4 **5** **Ergänzen Sie *müssen*, *dürfen* oder *nicht dürfen* in der richtigen Form.**

STRUKTUREN

a 
b 
c 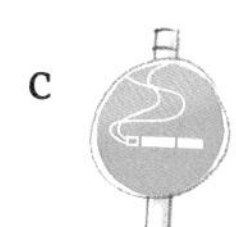
d 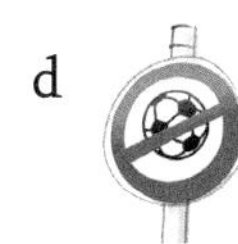
e 
f 

a Hier muss man ___/___ rechts abbiegen.
b Hier ______ ich leider ______ fotografieren.
c Hier ______ du ______ rauchen.
d Hier ______ ihr ______ Fußball spielen.
e Hier ______ Sie ______ Rad fahren.
f Hier ______ wir ______ geradeaus fahren.

KB 4 **6** **Malen Sie Schilder oder suchen Sie Schilder im Internet und schreiben Sie eigene Aufgaben wie in 5.**
Tauschen Sie mit Ihrer Partnerin / Ihrem Partner.

KB 4 **7** **Was passt? Kreuzen Sie an.**

STRUKTUREN

a (X) Kannst ○ Musst du Tennis spielen? – Ja, aber ich ○ muss ○ darf im Moment nicht spielen. Ich habe Probleme mit meinem Rücken.
b ○ Sollst ○ Willst du heute mit mir Fußball spielen? – Nein, ich habe leider keine Zeit. Ich ○ darf ○ muss arbeiten.
c Der Doktor sagt, du ○ willst ○ sollst viel trinken. – Ich habe aber keinen Durst.
d ○ Will ○ Darf ich hier rauchen? – Nein, tut mir leid. Das ist hier nicht erlaubt.
e Ich ○ darf ○ muss heute noch Hausaufgaben machen.
○ Darfst ○ Kannst du mir helfen? – Ja, kein Problem.

BASISTRAINING

KB 4 **8** **Ergänzen Sie *können, wollen, sollen, dürfen* oder *müssen* in der richtigen Form.**

STRUKTUREN

a Wir müssen morgen sehr früh aufstehen. Die Prüfung fängt schon um 7.00 Uhr an.
b Ich ______________ heute leider doch nicht kommen. ______________ wir den Termin verschieben?
c Sara ______________ unbedingt ihren Führerschein machen, aber sie ______________ noch nicht. Sie ist erst 16.
d Du ______________ noch abwaschen. Heute Abend haben wir Gäste.
e Die Ärztin sagt, ich ______________ viel schlafen, aber ich ______________ tanzen gehen.

KB 5 **9** **Ordnen Sie zu.**

KOMMUNIKATION

Das ist doch gefährlich, oder? | ~~Das verstehe ich nicht.~~ | Das weiß ich nicht. | Ich finde das in Ordnung.

a ■ Nun ist das Rauchen auch noch in meiner Lieblingsbar verboten. Das verstehe ich nicht. Fast alle Gäste sind Raucher.
▲ ______________________________________ Dann habe ich auch keine Kopfschmerzen am nächsten Tag.

b ■ Warum sind eigentlich Handys in Flugzeugen verboten?
▲ ______________________________________
■ Ach! Was soll denn da passieren? Aber ich finde das Handyverbot nicht richtig.

c ■ Wir machen ein Picknick im Park. Kommst du mit?
▲ Sind da Hunde erlaubt?
■ ______________________________________.

KB 6 **10** **Was passt nicht? Streichen Sie durch.**

WÖRTER

a Krankenhaus – leise sein – nicht telefonieren – ~~grillen~~
b Bäckerei – Wiese – sitzen – Picknick
c Fahrrad – schieben – Helm – Hund
d langsam fahren – Spielstraße – hupen – auf Kinder achten
e baden – grillen – Picknick machen – parken
f Regeln – Beispiele – verboten – erlaubt

KB 7 **11** **Wie finden die Personen das Handyverbot an der Fachhochschule? Hören Sie die Umfrage und notieren Sie.**

▶ 2 30

HÖREN

☺ Person 1 ______________ ☹ ______________

KB 7 **12** **Wer meint was? Hören Sie noch einmal und ordnen Sie zu.**

▶ 2 30

HÖREN

Person 1	Warum muss es immer Regeln geben?
Person 2	Ich kann mein Handy nicht ausmachen. Ich habe eine kleine Tochter.
Person 3	Ich finde, es gibt hier zu viele Regeln.
Person 4	Ich kann mit Handys nicht gut arbeiten.

TRAINING: SCHREIBEN

1 Lesen Sie den Beitrag und notieren Sie die Regeln.

REGELN IM MIETSHAUS

Paco, 7. September

Mein Vermieter hat sich gestern schon wieder beschwert. Ich habe laut Musik gehört und sofort klingelt er an der Tür. Also, ich bin gegen viele Regeln in einem Haus. Und ihr? Was meint ihr? Schickt mir eure Kommentare.

Immer heißt es: Das darfst du nicht. Das ist verboten. Sei leise! Bei uns im Haus ist es ganz schlimm. Ich spiele in einer Band, aber am Mittag darf ich nicht üben. Wir dürfen nicht auf dem Balkon grillen. In der Woche darf ich keine Party feiern. Laute Musik ist natürlich auch verboten. Ich frage mich: Wo bleibt da der Spaß im Leben?

Moritz am 7. September

2 Wie ist es bei Ihnen?

nicht laut Musik hören

Regeln

a Welche Regeln gibt es? Ergänzen Sie den Wortigel.

b Wie finden Sie die Regeln? Ergänzen Sie Smileys.

Das finde ich richtig: ☺ Das finde ich falsch: ☹

3 Sortieren Sie Ihre Notizen und schreiben Sie einen Kommentar.

Bei uns darf man auch nicht laut Musik hören.
Das finde ich falsch. Ich höre gern laut Musik.
Man darf auch nicht ... Das finde ich ...

TIPP
Wie schreiben Sie gute Texte? Sortieren Sie vor dem Schreiben Ihre Notizen. Womit wollen Sie anfangen? In welcher Reihenfolge wollen Sie die Punkte erwähnen? Nummerieren Sie Ihre Notizen.

TRAINING: AUSSPRACHE *Vokale: „ä" und „e"*

AUSSPRACHE ä/e

1 Ergänzen Sie „ä" oder „e".

a Gesch__ft – z__lten – H__lm – Fußg__nger
b N__he – W__g – Fahrr__der – R__gel

▶ 2 31 Hören Sie und sprechen Sie nach.

▶ 2 32 2 Hören Sie noch einmal und kreuzen Sie an.

REGEL
Die Vokale „ä" und „e"
○ sind lang.
○ sind kurz.
○ können lang oder kurz sein.
Achtung: Kurzes „ä" und „e" klingen gleich!

▶ 2 33 3 Hören Sie die Gedichte und sprechen Sie dann.

Das Leben ist voller Regeln:
An der Ampel stehen,
ohne Hund in Geschäfte gehen
und im Park nur auf den Wegen.

Keinen Helm tragen,
das ist gefährlich,
aber mal ehrlich,
Fußgänger sagen:
Es geht auch ohne!

TEST

WÖRTER

1 Regeln in „Ordnungsstadt“. Bilden Sie Wörter und ordnen Sie zu.

gen | ben | ach | gril | pen | tra | ~~ba~~ | men | schie | ten | ~~den~~ | hu | len | neh

a Der See ist für alle da. Hier dürfen Sie baden und ________.
b In Ordnungsstadt gibt es viele Fahrräder. Alle Fahrer müssen einen Helm ________.
c Im Park sind viele Spielplätze. Bitte ________ Sie Ihr Fahrrad, ________ Sie auf Kinder und ________ Sie Hunde an die Leine.
d Vor dem Krankenhaus müssen Sie leise sein und dürfen nicht ________.

_ / 6 PUNKTE

STRUKTUREN

2 Was ist richtig? Kreuzen Sie an.

Hier ☒ können ○ müssen (a) Kinder bis 14 Jahren spielen, aber sie ○ dürfen ○ wollen (b) nicht Rad fahren.
Am Morgen ○ wollen ○ können (c) die Kinder nicht auf dem Platz spielen, und nach 20 Uhr ○ dürfen ○ müssen (d) sie gehen.
Die Kinder ○ können ○ müssen (e) etwas trinken, aber sie ○ dürfen ○ müssen (f) keine Glasflaschen mitbringen.

Spielplatz
für Kinder bis 14 Jahren
von 13 – 20 Uhr
keine Hunde, Glasflaschen
Radfahren und
Fußballspielen verboten

_ / 5 PUNKTE

STRUKTUREN

3 Ergänzen Sie *dürfen* oder *müssen* in der richtigen Form.

a ■ Darf ich hier fotografieren? ▲ Nein, leider nicht.
b ■ Wann ________ ihr gehen? ▲ In 10 Minuten, der Zug fährt um 13.30 Uhr.
c ■ Gehen wir ein Eis essen? ▲ Später, ich ________ lernen.
d ■ ________ die Kinder auf der Straße spielen? ▲ Ja, das ist eine Spielstraße.
e ■ Die Ampel ist rot. Wie heißt dann die Regel? ▲ Wir ________ hier warten.

_ / 4 PUNKTE

KOMMUNIKATION

4 Ergänzen Sie die Gespräche.

Diese Regel ist in Ordnung. | Das finde ich gar nicht gut. | Das ist falsch. | Das ist ja wirklich sehr gefährlich, oder?

a ■ Ich soll manchmal Obst essen. Ist das richtig?
▲ ☹ ________. Du sollst jeden Tag Obst essen.
b ■ Mein Freund segelt im Herbst im Pazifik.
▲ ☹ ________
c ■ Meine Kinder wollen nie im Haushalt helfen!
▲ ☹ ________
d ■ Autofahrer müssen immer einen Gurt anlegen.
▲ ☺ ________

_ / 4 PUNKTE

Wörter		Strukturen		Kommunikation	
●	0–3 Punkte	●	0–4 Punkte	●	0–2 Punkte
●	4 Punkte	●	5–7 Punkte	●	3 Punkte
●	5–6 Punkte	●	8–9 Punkte	●	4 Punkte

www.hueber.de/menschen/lernen

LERNWORTSCHATZ

1 Wie heißen die Wörter in Ihrer Sprache? Übersetzen Sie.

Im Straßenverkehr
Fahrer (Auto-/Fahrrad-) der, - ______
Regel die, -n ______
Schild das, -er ______
Verkehr der ______
Straßenverkehr, der ______
Wiese die, -n ______

achten, hat geachtet ______
hupen, hat gehupt ______
parken, hat geparkt ______
CH: parkieren, hat parkiert
schieben, hat geschoben ______
CH: stossen (Velo), hat gestossen
stehen bleiben, ist stehen geblieben ______
tragen, du trägst, er trägt, hat getragen ______
einen Helm tragen (Helm der, -e) ______

langsam ______
erlaubt ______
verboten ______

zu Fuß ______

Etwas bewerten
verstehen, hat verstanden ______
Das verstehe ich nicht. ______

gefährlich ______
schlimm ______

in Ordnung ______

Weitere wichtige Wörter
Beispiel das, -e ______
zum Beispiel ______
Hund der, -e ______
Krankenhaus das, ¨-er ______
CH/A: auch: Spital das, -e
Picknick das, -e und -s ______

auf·stehen, ist aufgestanden ______
baden, hat gebadet ______
dürfen, ich darf, du darfst, er darf ______
grillen, hat gegrillt ______
CH: grillieren/bräteln
klingeln, hat geklingelt ______
müssen, ich muss, du musst, er muss ______
sitzen, hat gesessen ______
A: ist gesessen

leise ______

für ______
gegen ______

TIPP

Schreiben Sie kleine Geschichten mit den Wörtern aus der Lektion.

Mein Bruder ist im Krankenhaus. Ein Hund ist in sein Fahrrad gelaufen. Das war wirklich gefährlich …

2 Welche Wörter möchten Sie noch lernen? Notieren Sie.

______

WIEDERHOLUNGSSTATION: WORTSCHATZ

1 Ergänzen Sie die Vokale (*a, e, i, o, ö, u, ü*) und ordnen Sie zu.

~~glckl̶ch~~ | schlnk | blnd | trrg | kmsch | dck | frndlch | hbsch

Aussehen	Charakter
	glücklich

2 Was passt nicht? Streichen Sie das falsche Wort durch.

a Wäsche: ~~abtrocknen~~ – bügeln – aufhängen
b Zimmer: aufräumen – rausbringen – staubsaugen
c Tisch: decken – spülen – putzen
d Geschirr: abwaschen – abtrocknen – wischen
e Bad: kochen – putzen – aufräumen
f Boden: staubsaugen – backen – wischen

3 Der Ampelmann. Ergänzen Sie den Text.

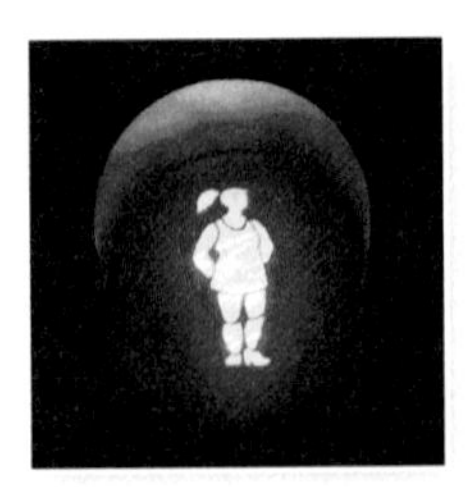

dürfen | schiebt | Fahrradfahrer | stehen bleiben | ~~Regeln~~ | trägt | achten

Die Regeln für Ampeln sind einfach. Bei Rot müssen Sie ______________________,
bei Grün ______________________ Sie gehen. Autofahrer und
______________________ müssen auf Ampeln ____________ – und natürlich
auch Fußgänger.
Die Ampeln für Fußgänger sehen aber besonders aus:
Sie haben einen „Ampelmann". Dieser Ampelmann ist in Deutschland sehr bekannt.
Es gibt ihn seit 1961, er ist also über 50 Jahre alt.
Viele Länder haben einen Ampelmann. Sie sehen verschieden aus.
Manchmal ist er dick oder dünn, manchmal ______________________ er ein Fahrrad oder ______________________ einen Hut, und manchmal gibt es auch eine Ampelfrau.

WIEDERHOLUNGSSTATION: GRAMMATIK

1 Ergänzen Sie *haben* oder *sein* im Präteritum.

Hallo Elly,
wie geht's Dir? Warst (a) Du schon einmal in Graz? Jonas und ich __________ (b) letzte Woche in Graz. Es __________ (c) wunderbar! Wir __________ (d) auch immer schönes Wetter. Am Mittwoch sind noch Mona und Tim gekommen und wir __________ (e) so viel Spaß zusammen. Am Freitag __________ (f) ich den ganzen Tag allein mit Mona shoppen. Die Männer __________ (g) keine Lust. ☹
Viele Grüße
Tanja

2 Markieren Sie die Verben und ergänzen Sie dann die Verben in der richtigen Form.

KALDEVERGESSENFAGUERKENNENLÜTAGEFALLENEDERBEKOMMENZUTERVERSTEHEN REDASBEZAHLENZUTAS

a Entschuldigung! Ich habe den Termin total vergessen!
b Und, wie hat euch das Konzert __________?
c Haben Sie meine E-Mail __________?
d Hast du die Miete schon __________?
e Wow Barbara, ich habe dich nicht __________. Seit wann hast du denn kurze Haare?
f Den letzten Satz habe ich nicht __________. Können Sie ihn bitte wiederholen?

3 Notizzettel. Ergänzen Sie die Pronomen.

a Das Geschirr steht seit 3 Tagen hier. Wer spült es __________?
b Wem gehört die Wäsche in der Waschmaschine? Bitte hängt __________ auf. Ich will auch waschen.
c Alex: Anruf von Herrn Bäumer – du sollst __________ bitte zurückrufen.
d Das Bad ist mal wieder schmutzig. Wer putzt __________?
e Nina: Timo war hier. Er möchte __________ sprechen. Ruf __________ bitte an.

4 Im Flugzeug. Was darf man (nicht) / muss man / kann man? Schreiben Sie.

Handy benutzen | Filme anschauen | ~~sich anschnallen~~ | rauchen | etwas essen | Musik hören

Im Flugzeug muss man sich anschnallen, …

5 Schreiben Sie Sätze mit *bitte* im Imperativ.

(eine Person)	(mehrere Personen)	
Sei bitte nicht so laut!	Seid bitte nicht so laut!	nicht so laut sein
		Geschirr abtrocknen
		Küche aufräumen
		Musik leise machen
		Schlüssel nicht vergessen
		Tisch decken

SELBSTEINSCHÄTZUNG Das kann ich!

Ich kann jetzt …

… eine Person beschreiben: L19

Walter ist ein bisschen ___________.

Er hat einen ___________ und keine ___________ .

… erstaunt reagieren: L19

▲ Brad Pitt ist wieder Single. ■ E_________?

● Vor zwei Monaten hat Mark sein Kind an der Kasse vergessen.

◆ A_______ k_________! Das gibt's doch nicht.

… Aufforderungen und Bitten formulieren: L20

Sophie, ____!

Lara und Simon, ____!

… über Regeln sprechen: L21

Man ___________ hier ___________________________.

Das ist ___________.

Man ___________ hier ___________________________.

Das ist nicht ___________.

… meine Meinung sagen: L21

Im Flugzeug darf man nicht telefonieren. Das finde ich ___________. ☺

Ich finde das ___________. ☹

Ich v___________ das nicht. Das kann doch nicht so s___________ sein.

Ich kenne …

… 8 Wörter zum Aussehen: L19

4 Wörter für mein Aussehen:

____

4 Wörter für das Aussehen von meiner Traumfrau / meinem Traummann:

____

… 6 Charaktereigenschaften: L19

Positiv (3x):____

Negativ (3x): ____

… 10 Aktivitäten im Haushalt: L20

Das mache ich ganz gern. / Das finde ich nicht so schlimm (5x):

____

Das hasse ich (5x): ____

… 5 Regeln in Verkehr und Umwelt: L21

____

____

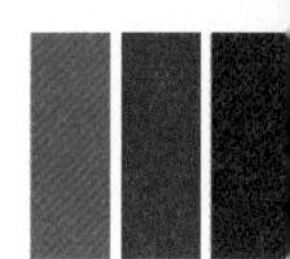

SELBSTEINSCHÄTZUNG Das kann ich!

Ich kann auch ...

... über Vergangenes sprechen (Präteritum: war, hatte): L19
Früher ________ Simone blond. Sie ________ kurze Haare und eine Brille.

... über Vergangenes sprechen (Perfekt: nicht trennbare Verben): L19
Natascha hat sich verändert. Tom ________ Natascha nicht sofort ________________.(erkennen)
Sie ________ vor zwei Jahren ein Baby ________________. (bekommen)
Er ________ das Baby leider ________________. (vergessen)

... Befehle formulieren (Imperativ: du/ihr): L20
Line, ________ leise!
Line und Melanie, ________ sofort da runter!

... sagen, wen man anrufen soll (Personalpronomen im Akkusativ): L20
Lisa, ruf ________ bitte heute noch an! (ich)
Lisa, ruf ________ bitte heute noch an! (er)

... Verbote und Gebote ausdrücken (Modalverben: dürfen, müssen): L21
Im Park ________ man auf dem Weg bleiben.
Sieh mal! Hier ________ wir baden.

Üben / Wiederholen möchte ich noch ...

____

RÜCKBLICK

Wählen Sie eine Aufgabe zu Lektion 19 ________________

1 Sehen Sie noch einmal das Bild im Kursbuch auf Seite 42 (Aufgabe 4) an.
Wählen Sie eine Person. Beschreiben Sie die Person (Aussehen, Charakter).

Sie/Er hat kurze/lange Haare ...
Ich finde, sie/er sieht ... aus und ...

2 Wählen Sie eine Person aus Ihrer Familie. Wie war sie/er vor zehn Jahren?
Was haben Sie zusammen gemacht? Wie ist sie/er heute? Schreiben Sie.

Meine Oma war schon immer lustig.
Sie war auch total hübsch. Ich war
oft im Urlaub bei ihr. Wir haben ...

RÜCKBLICK

Wählen Sie eine Aufgabe zu Lektion 20

1 Lesen Sie noch einmal im Kursbuch auf Seite 48 die E-Mail von Gert (Aufgabe 9).

a Was macht Gert gern? Was kann er gut? Wie ist er?

Er kocht gern. ...

b Die perfekte Mitbewohnerin / Der perfekte Mitbewohner. Schreiben Sie zu folgenden Punkten:

- Wie ist sie/er?
- Was macht sie/er gern und gut?
- Was macht sie/er oft?

Sie/Er backt am Wochenende immer Kuchen. ...

2 Wie ist eine NICHT perfekte Mitbewohnerin / ein NICHT perfekter Mitbewohner? Schreiben Sie.

Sie/Er feiert oft Partys, macht viel Unordnung, ...

Wählen Sie eine Aufgabe zu Lektion 21

1 Sehen Sie noch einmal das Bild im Kursbuch auf Seite 51 (Aufgabe 6) an und wählen Sie zwei Personen. Ergänzen Sie die Tabelle.

	Person 1	Person 2	Person 3
Was machen die Personen? Ist das erlaubt/verboten?	*Der Mann fährt Fahrrad. Das ist verboten.*		
Wie finden Sie das?	*Ich finde das nicht so schlimm.*		
Machen Sie das auch manchmal/nie?	*Ich mache das auch fast immer. Ich fahre dann nicht so schnell und achte auf Kinder.*		

2 Sie wohnen in einer WG oder wollen ein Zimmer in einer WG mieten.
Notieren Sie: Welche Regeln gibt es? Welche Regeln akzeptieren Sie?

Regeln in der WG	Wie finde ich die Regel?	Das mache ich.
Wir dürfen in der Küche nicht rauchen.	*Ich finde die Regel in Ordnung.*	*Aber manchmal rauche ich am Abend in der Küche. Ich mache dann das Fenster auf.*
...		

WIEDERSEHEN IN WIEN

Teil 3: Findest du Lisa wirklich schön?

„Nach rechts!"
„Anja, bitte!"
„Ich habe es aber auf dem Stadtplan gesehen."
„Hier darf man nicht nach rechts fahren."
„Warum nimmst du dann die Ringstraße?"
„So können wir noch ein Stück von Wien sehen, bevor die Party anfängt. Schau, rechts sind der Heldenplatz und die Hofburg, und dort ist schon das Burgtheater ..."
Aber Anja schaut nicht hinaus.
„Was ist los, Anja?" fragt Paul.
„Nichts."
Das ist los: Paul redet die ganze Zeit nur noch von Lisa.
„Was ist denn das?", fragt Anja.
„Naja ... Blumen."
„Für wen?"
„Für Lisa natürlich."
„Gefällt dir Lisa wirklich so gut?
„Ja, klar, ich finde sie sehr schön und auch nett. Du nicht?"
„Ich weiß nicht, ich finde sie nicht so hübsch."
„Was gefällt dir nicht an ihr?"
„Naja ... ihre Haare sind zu kurz."
„Was? Zu kurz? Die sind genau richtig."
„Und die Locken passen nicht zu ihr."
„Ach was, die sind sehr schön."
Herr Rossmann bellt.
„Siehst du, Herr Rossmann findet die Haare auch gut."
„Herr Rossmann findet die Haare hässlich."
Herr Rossmann bellt.
„Herr Rossmann sagt Nein."
„Herr Rossmann sagt Ja."

Sie kommen in die Walfischgasse. Paul parkt das Auto.
„Hier ist es schön", sagt Paul.
„Eine Wohnung im ersten Bezirk – nicht schlecht ..."
„Ach was ..."
Herr Rossmann bellt.
„Ja, genau, gehen wir, Herr Rossmann!"
„Genau. Und vergiss deine Blumen nicht, Paul."

Am besten sind seine Schuhe!

KB 2 **1** **Was haben die Leute an? Ergänzen Sie.**

WÖRTER

H U T
_ L _ _ _ mit G _ R _ _ _
_ _ R _ _ _ _ H O _ _
_ _ CK _

_ _ T Z _
_ _ M _
S P O R T _ _ _ _ _ _ _
_ A _ _ _ _
_ O S _
_ _ L L _ V _ _

KB 3 **2** **Malen Sie eine Person wie in 1. Beschreiben Sie die Person. Ihre Partnerin / Ihr Partner malt. Vergleichen Sie die beiden Bilder.**

KB 4 **3** **Was passt? Markieren Sie.**

STRUKTUREN

a Das T-Shirt gefällt mir besser/lieber als die Bluse.
b Ich mag besser/lieber Orangensaft als Cola.
c Mir schmeckt das Brot in Deutschland besser/lieber als das Brot in meinem Heimatland.
d Ich trage besser/lieber Kleider als Röcke.

KB 4 **4** ***als* oder *wie*? Kreuzen Sie an.**

STRUKTUREN

a Der Hut gefällt mir besser ☒ als ○ wie die Mütze.
b Schau mal, die Bluse kostet genauso viel ○ als ○ wie das T-Shirt.
c Die Jacke finde ich schöner ○ als ○ wie den Mantel.
d Die Hose finde ich nicht schön. Nimm doch die Jeans hier.
Die finde ich viel besser ○ als ○ wie die Hose.
e Ich mag T-Shirts genauso gern ○ als ○ wie Blusen.

KB 4 **5** **Ergänzen Sie in der richtigen Form.**

STRUKTUREN

a ■ Wie gefällt dir der Rock?
▲ Der ist schön, aber das Kleid hier gefällt mir besser. (gut)
● Und mir gefällt die Jeans am ________________. (gut)

b ■ Wie findest du die Jacke?
▲ Die blaue finde ich ________________ als die schwarze. (gut)
● Also, ich mag Blau nicht so gern. Schwarz mag ich ________________ als Blau. (gern)

c ■ Wir müssen noch Obst kaufen. Was magst du ________________? (gern) Orangen oder Äpfel?
▲ Ich mag Orangen genauso ________________ wie Äpfel. (gern)
■ Gut, dann kaufen wir beides. Und was trinkst du gern?
▲ Das weißt du doch. … Ich mag am ________________ Cola. (gern)

KB 5

6 Vergleichen Sie die drei Häuser. Ergänzen Sie die Sätze.

STRUKTUREN

Pauls Haus

Peters Haus

Kais Haus

a (groß)
Peters Haus ist größer als Kais Haus, aber am größten ist Pauls Haus.

b (klein)
Peters Haus ist ______________ als Pauls Haus. Am ______________ ist Kais Haus.

c (modern – alt)
Kais Haus ist am ______________ . Pauls Haus ist am ______________.

d (viel – billig)
Pauls Haus kostet ______________ . Am ______________ ist Kais Haus.

e (schön – viel)
In Kais Garten gibt es ______________ Bäume als in Pauls Garten. Kais Garten ist viel ______________.

KB 5

7 Ordnen Sie die Adjektive in Gruppen und ergänzen Sie die Formen.

STRUKTUREN ENTDECKEN

~~schnell~~ | klein | klug | leicht | ~~gut~~ | jung | lustig | billig | gern | viel

+	++	+++
1 schön	schöner	am schönsten
schnell		
2 groß	größer	am größten
3 alt	älter	am ältesten
4 gut	besser	
	mehr	
		am liebsten

KB 5 STRUKTUREN

8 Komparativ

Wie heißt das Gegenteil? Ergänzen und vergleichen Sie.

a jünger
b kleiner
c billiger
d hübscher
e kürzer
f dicker

Deutsch	Englisch	Meine Sprache oder andere Sprachen
a *älter*	older	
b	bigger / larger	
c	more expensive	
d	uglier	
e	longer	
f	thinner	

KB 8 SCHREIBEN

9 Eine E-Mail schreiben

Lesen Sie die E-Mail und antworten Sie Johanna.

Hallo ...,
vielen Dank für Deine E-Mail. Du kommst mich in Wien besuchen! Das ist klasse!
Möchtest Du drei Tage in Wien bleiben oder lieber einen Ausflug an den Neusiedler See machen? Vielleicht kann ich das Auto von meinen Eltern haben.
Was möchtest Du am liebsten machen? In die Oper oder ins Theater gehen? Im Hotel Sacher Kuchen essen? In unseren großen Freizeitpark (er heißt *Prater*) fahren?
Bitte schreib mir Deine Wünsche.

Ich freue mich sehr auf Deinen Besuch!!!
Viele Grüße
Johanna

Schreiben Sie eine E-Mail zu folgenden Punkten.

- lieber in Wien bleiben
- Oper – Theater: wahnsinnig langweilig finden – am liebsten ins Museum gehen
- natürlich gern Kuchen im Hotel Sacher essen
- den Prater – total lustig finden

Hallo Johanna,
das sind ja viele gute Ideen! Drei Tage sind natürlich sehr kurz. Ich möchte lieber in Wien
....
....
....
Ich freue mich sehr!

Bis bald
Dein/e ....

TRAINING: LESEN

1 Schilder und Zettel

a **Was passst zusammen? Ordnen Sie zu.**

morgen | nach | Nachmittag | ~~bis~~ | ohne | nie | keine | manchmal

ab: bis Vormittag: ________ vor: ________ mit: ________
viele: ________ heute: ________ immer: ________ oft: ________

b **Lesen Sie den Zettel und kreuzen Sie an.**
Im Bekleidungsgeschäft am Fenster

Räumungsverkauf
50 % auf alle Jacken, Hemden, Blusen und Kleider
Nur noch bis zum 31. März

	richtig	falsch
Nach dem 31. März gibt es viele Sonderangebote.	○	○
Vor dem 31. März gibt es viele Sonderangebote.	○	○

TIPP
Sie haben Probleme beim Lesen von Schildern? Achten Sie besonders auf die kleinen Wörter: *ab* oder *bis*, *vor* oder *nach* …

2 Lesen Sie jetzt die Schilder und Zettel und kreuzen Sie an.

a **Im Supermarkt an der Tür**

Inventur
Am Dienstag haben wir Inventur.
Wir haben daher leider ab 15.00 Uhr geschlossen.
Am Mittwochmorgen können Sie wieder wie gewohnt bei uns einkaufen.

Der Supermarkt ist am Mittwochmorgen wieder geöffnet. ○ richtig ○ falsch

b **An der Bushaltestelle**

Sehr geehrte Fahrgäste!
Ab dem 01. Juli fährt der Bus Nr. 13 nur bis zum Stadttor.
Fahrgäste bis zum Hauptbahnhof nehmen bitte den Bus Nr. 5.

Die Buslinie 13 fährt nach dem 01. Juli wieder bis zum Hauptbahnhof. ○ richtig ○ falsch

TRAINING: AUSSPRACHE *unbetontes „e"*

▶ 2 34

1 Hören Sie und markieren Sie den Wortakzent.

Gürtel – Schuhe – dunkel – golden – Hose – getragen – Mantel – am besten – Bluse – danke – bitte

2 Was ist richtig? Kreuzen Sie an.

REGEL
Am Wort-Ende bei Wörtern mit -e, -el, -en, -er hört man „e" nur wenig oder gar nicht.
○ Ja. ○ Nein.

▶ 2 35

3 Hören Sie und sprechen Sie nach.

a Meine Schuhe sind dunkelbraun.
b Ich habe noch nie einen Gürtel getragen.
c Die Bluse hier gefällt mir am besten.
d Alles ist golden: seine Schuhe, seine Hose, sein Hemd und sein Mantel.

TEST

1 Wie heißt die Kleidung? Ergänzen Sie.

WÖRTER

a Mama, brauche ich eine M ü t z e? – Ja, und mach deine J _ _ _ _ zu. Es ist kalt.
b Meine Füße sind so kalt. – Hier sind warme _ _ c k _ _.
c Kann ich Ihnen helfen? – Gerne, ich suche einen G ü _ _ _ _ für meine H _ _ _ _.
d Warst du auf der Hochzeit von Ann-Sophie? – Ja, ihr _ l _ _ d war toll!
e Was trägst du im Büro? – Meistens ein Hemd mit P _ _ _ _ _ _ _ r.
f Anna, dein Hemd gefällt mir. – Oh danke, aber das ist eine B _ _ s _.
g Meine Oma trägt immer einen _ u _. – Klasse! _ / 8 PUNKTE

2 Ergänzen Sie *alt*, *gern*, *groß*, *gut* in der richtigen Form.

STRUKTUREN

a Duisburg ist groß (+), München ist ______________ (++) und ______________ (+++) ist Berlin.
b Niklas macht ______________ (+) Sport, ______________ (+++) findet er Fußball.
c Ich bin 15, mein Bruder Paul ist ______________ (++), er ist schon 20.
d Tobias mag kein Obst, ______________ (+++) isst er Schokolade.
e Carla spricht ______________ (++) Deutsch als ich, ich mache noch viele Fehler.
f Sandra mag Röcke ______________ (++) als Hosen. _ / 8 PUNKTE

3 Was ist richtig? Kreuzen Sie an.

STRUKTUREN

a Sie ist genauso groß ○ als ⊗ wie ihre Freundin.
b Karl hat mehr Urlaub ○ als ○ wie Franziska.
c Hier ist es genauso schön ○ als ○ wie in der Schweiz.
d Dominik spielt besser Gitarre ○ als ○ wie Udo.
e Dieser Test ist genauso leicht ○ als ○ wie der Test in Lektion 7. _ / 4 PUNKTE

4 Ergänzen Sie die Sätze.

KOMMUNIKATION

wie langweilig | wahnsinnig teuer | total schön | am besten | fast täglich | viel praktischer

Dita312: Was zieht ihr gern an? Habt ihr ein Lieblingskleid oder ein Lieblingsshirt?
Blue_ocean: Im Büro muss ich immer eine Bluse und einen Rock tragen. Zu Hause trage ich nur Hosen, ich finde das ______________ (a) als Röcke und es gefällt mir so ______________ (b).
Lola: Ich habe ein Lieblings-T-Shirt, das ist ______________ (c). Das habe ich im Hard-Rock-Café in Rom gekauft. Es war ______________ (d), 35 Euro! Ich trage es ______________ (e).
Dita312: Was? Das gefällt dir? Ach, ______________ (f)! Also, ich trage nur Kleidung von … _ / 6 PUNKTE

Wörter	Strukturen	Kommunikation
0–4 Punkte	0–6 Punkte	0–3 Punkte
5–6 Punkte	7–9 Punkte	4 Punkte
7–8 Punkte	10–12 Punkte	5–6 Punkte

LERNWORTSCHATZ

1 Wie heißen die Wörter in Ihrer Sprache? Übersetzen Sie.

Kleidung
Kleidung die
Bluse die, -n
Jacke die, -n
Gürtel der, -
Hemd das, -en
Hose die, -n
Hut der, ¨-e
Kleid das, -er
Mantel der, ¨-
Mütze die, -n
A: Haube die, -n
CH: Kappe die, -n
Pullover der, -
Rock der, ¨-e
CH: auch: der Jupe, -s
Schuh der, -e
Socke die, -n
Strumpf der, ¨-e
CH: Strumpfhose die, -n oder
Kniesocke die,-n
Strumpfhose die, -n
T-Shirt das, -s

Weitere wichtige Wörter
Text der, -e
an·haben, hat angehabt
an·ziehen, hat angezogen
erzählen, hat erzählt
klug
als
schöner als
(genau)so wie
(genau)so schön wie
zuletzt
zurzeit
Klasse!
A/CH: Super!
Toll!

TIPP
Schneiden Sie Bilder aus und ergänzen Sie die Kleidung.

2 Welche Wörter möchten Sie noch lernen? Notieren Sie.

Ins Wasser gefallen?

KB 3 **1** **Ordnen Sie zu.**

WÖRTER

Die Sonne scheint. | ~~Es wird bald sehr windig.~~ | Es ist bewölkt. | Es ist kühl. | Es ist schön warm. | Es regnet schon lange. | ~~Es wird kälter.~~ | Man sieht nicht viele Wolken. | Es gibt bald ein Gewitter.

A

B Es wird bald sehr windig.

C Es wird kälter.

KB 3 **2** **Ergänzen Sie.**

WÖRTER

a Es ist heute sehr neblig (ginble). Man kann den Kirchturm im ______ (benle) fast nicht sehen.
b Oh, sieh mal, wie schön der ______ (cheens) in den Bergen ist. Morgen soll es noch mehr ______ (neisnech).
c Morgen bekommen wir wieder mehr ______ (dnwi). Dann können wir weiter segeln.
d Die Kinder können nicht schlafen. Es ______ (tnnored) und ______ (iltbtz).
e Morgen wird das Wetter super. Es wird ______ (gionns) und wir bekommen 25 ______ (drag).

KB 3 **3** **Suchen Sie Wetterwörter in 1 und 2 und im Kursbuch.**
Ergänzen Sie in der Tabelle so viele Wörter wie möglich.

WÖRTER

Nomen	Adjektive	Verben
die Sonne		scheinen
der Wind	windig	/

KB 3 **4** **Ergänzen Sie die Gespräche.**

KOMMUNIKATION

a ■ Morgen scheint die Sonne (Sonne, scheinen). Wollen wir an die See fahren?
▲ Ach nein, da ______ (es, immer, so, windig, sein). Ich möchte lieber im Café in der Sonne sitzen.

b ■ Hier ______ (es, regnen, schon, seit drei Tagen). Da kann man ja nur schlechte Laune bekommen. Wie ist denn das Wetter bei euch? Ist es auch so schlecht?
▲ Nein, wir haben wunderschönes Frühlingswetter. ______ (es, warm, sein, und, sonnig). Kommt uns doch am Wochenende besuchen!

c ■ Wie ist das Wetter im Winter in Österreich?
▲ In den Bergen ______ (es, kalt, sein) und ______ (es, viel Schnee, geben). Aber oft ______ (auch, Sonne, scheinen).

d ■ Tschüs, bis heute Abend. ▲ Tschüs. Und vergiss deine Regenjacke nicht. Heute Nachmittag ______ (es, Gewitter, geben).

KB 4 WÖRTER

5 Ergänzen und vergleichen Sie.

Deutsch	Englisch	Meine Sprache oder andere Sprachen
der Norden	the north	
der O________	the east	
der S________	the south	
der W________	the west	
Norddeutschland	Northern Germany	
Süddeutschland	Southern Germany	

KB 4 ▶ 2 36 HÖREN

6 Wie ist das Wetter in ...? Hören Sie und ordnen Sie zu.

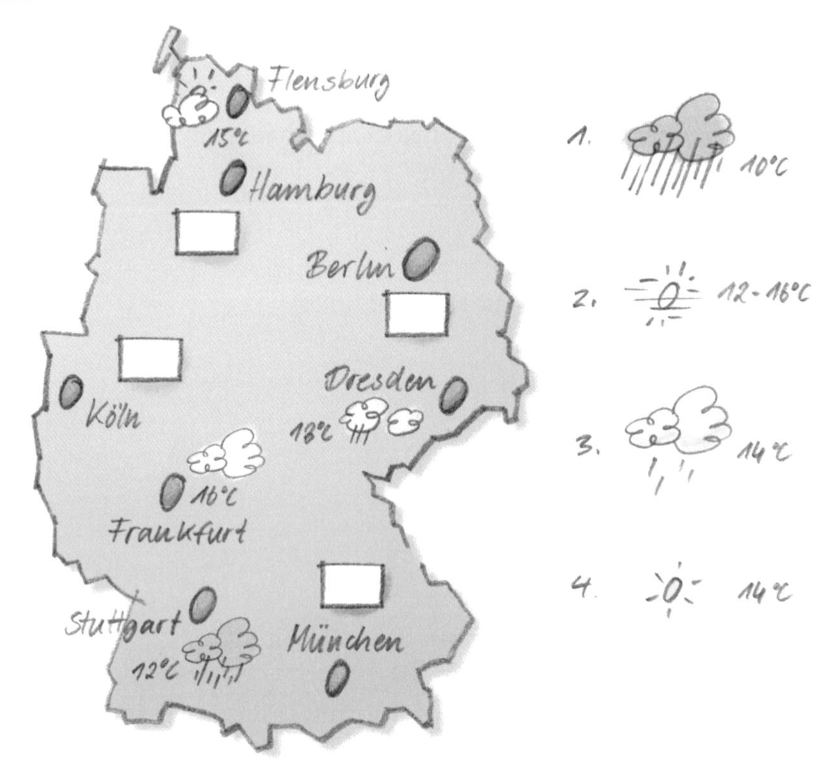

KB 4 SPRECHEN

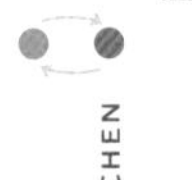

7 Wählen Sie einen Ort auf der Wetterkarte in 6.

a Wie ist das Wetter? Machen Sie Notizen.

b Erzählen Sie. Ihre Partnerin / Ihr Partner rät: Wo sind Sie?

Hier ist das Wetter nicht so toll. Es ist neblig und nicht besonders warm. Wir haben ... Grad. ... Wo bin ich?

Bist du in ...?

KB 4 STRUKTUREN

8 Ordnen Sie zu.

arbeitslos | wolkenlos | farblos

a Heute ist so schönes Wetter. Die Sonne scheint und der Himmel ist ________________.
b Seit letztem Frühjahr sucht Hannes einen Job. Er ist ________________.
c In Norddeutschland war der Winter in diesem Jahr besonders grau und ________________.

KB 5 **9** **Ordnen Sie zu.**

STRUKTUREN

er hat gestern lange gefeiert | es schneit zu viel | ihr Fahrrad ist kaputt | ~~sie fahren morgen in den Urlaub~~

A Luca und Alina suchen den Reiseführer, denn sie fahren morgen in den Urlaub.

B Herr Brunner muss noch ein paar Stunden in München bleiben, denn ______.

C Urs ist heute sehr müde, denn ______.

D Sandra kommt heute nicht pünktlich, denn ______.

KB 5 **10** **Ergänzen Sie die Sätze aus 9.**

STRUKTUREN ENTDECKEN

	Position 0	Position 1	Position 2	
...,	denn	sie	fahren	morgen in den Urlaub.

KB 5 **11** **Schreiben Sie die Sätze mit *denn*.**

STRUKTUREN

a Ich kann leider nicht kommen. Ich habe einen Termin beim Zahnarzt.
Ich kann leider nicht kommen, denn ich habe einen Termin beim Zahnarzt.

b In dem Haus kann man nicht mehr wohnen. Nach dem Sturm war das Dach kaputt.
..., denn nach ______.

c Ella kommt heute nicht mit in die Disco. Sie hat morgen eine Prüfung.
______.

d Mit dem Urlaub hatten wir wirklich Glück. Das Wetter war ein Traum.
______.

KB 5 **12** **Verbinden Sie.**

STRUKTUREN

a	Soll ich das Kleid nehmen	denn	die Spülmaschine funktioniert nicht.
b	Am See darf man nicht grillen	aber	am liebsten bin ich in den Bergen.
c	Ich mache gern Urlaub am Meer,	oder	findest du den Rock schöner?
d	Der Techniker muss kommen,	und	Baden ist auch verboten.

TRAINING: HÖREN

1 Gespräch in der Kantine.
Sehen Sie das Bild an. Was meinen Sie? Was passiert hier? Was sagen die Personen?

Familie | Arbeit | ~~Urlaub~~ | Krankheit | Haushalt | Wetter ...

Der Mann sieht krank aus.
Vielleicht ...

Ich glaube, die Frau war
im Urlaub!

TIPP
Sie finden das Hören besonders schwierig? Überlegen Sie vor dem Hören: Was ist die Situation? Wo sind die Personen? Was sagen die Personen vielleicht?

▶ 2 37 **2 Hören Sie nun das Gespräch und korrigieren Sie die Sätze.**

a ~~Peter~~ war im Urlaub krank. Peters Frau
b Das Hotelzimmer war sauber. ______
c Das Wetter war zu warm. ______
d Peters Frau möchte nächstes Jahr wieder nach Italien. ______
e Der Urlaub von Peters Kollegin war nicht schön. ______
f Sie war in Italien. ______

TRAINING: AUSSPRACHE *Vokal „ö"*

▶ 2 38 **1 Wann hören Sie „ö"? Kreuzen Sie an.**

	1. Wort	2. Wort
1	○	○
2	○	○
3	○	○
4	○	○
5	○	○
6	○	○

▶ 2 39 **2 Hören Sie und sprechen Sie dann.**

a Wetter
Wort
macht: Wetterwörter

b Mädchen
Brötchen
Mädchen möchten Brötchen.

c Fan
Föhn
Ein Föhn vom Fan

d Kellner
Köln
Ein Kölner Kellner ist ein Kellner aus Köln.

e sonnig
bewölkt
im Norden sonnig, im Osten bewölkt

TEST

WÖRTER

1 Das Wetter in Deutschland. Ordnen Sie zu.

Wolken | scheint | Sturm | neblig | Grad | ~~Gewitter~~ | regnet | Himmel | warm

a In Frankfurt gibt es ein *Gewitter* und es ______________.
b In Köln ______________ die Sonne, es ist ______________.
c In Dresden ist der ______________ blau, es gibt keine ______________.
d In München ist es sehr windig, es gibt bald einen ______________.
e In Hamburg ist es ______________, es hat nur 3 ______________.

_ / 8 PUNKTE

STRUKTUREN

2 Bilden Sie Wörter mit *-los* und ergänzen Sie.

kosten- | wolken- | arbeits- | ~~fehler-~~ | farb-

a Mein Test ist *fehlerlos*. Ich habe keinen Fehler gemacht!
b Man kann im Zentrum parken, aber es ist teuer. Hinter der Post ist es ______________.
c Das Wetter ist schön, der Himmel ist ______________.
d Es regnet seit Stunden. Alles ist grau und ______________.
e Thomas hat keinen Job mehr, er ist jetzt ______________.

_ / 4 PUNKTE

STRUKTUREN

3 Schreiben Sie Sätze mit *denn*.

a Ich gehe heute zum Zahnarzt, *denn ich habe Zahnweh*.
(ich / Zahnweh haben)
b Wir fahren am Samstag zu den Großeltern, denn ______________.
(unsere Oma / krank sein)
c Wir müssen zu Fuß gehen, denn ______________.
(der Aufzug / nicht funktionieren)
d Niko macht ein Fest, denn ______________.
(er / Wohnung gefunden haben)

_ / 3 PUNKTE

KOMMUNIKATION

4 Ordnen Sie zu.

ich arbeite am Wochenende | der Schnee ist traumhaft | ich backe gern | deine Partys sind immer lustig | ich schreibe am Montag eine Prüfung | ich habe Geburtstag

Hallo, ich mache am Freitag eine Party, denn ______________.
Könnt ihr kommen?
■ Klar, ich komme gern, denn ______________.
▲ Leider nein. Ich muss viel lernen, denn ______________.
● Nur kurz, denn ______________ und muss am Samstag früh aufstehen.
▲ Tolle Idee. Ich bringe zwei Kuchen mit, denn ______________.
■ Ich weiß nicht. Vielleicht gehe ich Ski fahren, denn ______________.

_ / 6 PUNKTE

Wörter	Strukturen	Kommunikation
0–4 Punkte	0–3 Punkte	0–3 Punkte
5–6 Punkte	4–5 Punkte	4 Punkte
7–8 Punkte	6–7 Punkte	5–6 Punkte

www.hueber.de/menschen/lernen

LERNWORTSCHATZ

1 Wie heißen die Wörter in Ihrer Sprache? Übersetzen Sie.

Wetter

Wetter das
Gewitter das, -
Grad das, -e
Nebel der
Regen der
Schnee der
Sonne die, -n
Sturm der, ¨-e
Wind der, -e
Wolke die, -n

regnen, hat geregnet
schneien, hat geschneit
scheinen, hat geschienen

kühl
neblig
sonnig
warm
windig

Himmelsrichtungen

Himmelsrichtung die, -en
Norden der
Süden der
Osten der
Westen der

Weitere wichtige Wörter

Dach das, ¨-er
Frühjahr das, -e
Glas das, ¨-er
Glück das
Himmel der
Laune die, -n
Reiseführer der, -
Traum der, ¨-e

TIPP Suchen Sie Wortfamilien.

Wolke – bewölkt – wolkenlos
Reise – Reiseführer – reisen – Reisebüro

2 Welche Wörter möchten Sie noch lernen? Notieren Sie.

Ich würde am liebsten jeden Tag feiern.

KB 2

1 Ergänzen Sie die Einladung.

WÖRTER

Bescheid | Fluss | geben | Getränke | grillen | vergessen | Wald | Wetter | ~~wunderbar~~ | zufrieden

Hallo!
Ist es nicht *wunderbar* (a)? Für die Wochenenden haben wir ein Haus im __________ (b) gefunden. Was für ein Glück! Wir sind super __________ (c).
Am Freitag, den 1. April würden wir das gern mit Euch feiern. Wir wollen __________ (d).
Hoffentlich spielt das __________ (e) mit. __________ (f) und Grillfleisch kaufen wir. Aber bringt doch bitte Salate mit!
Und Zelte und Schlafsäcke nicht __________ (g)! Ihr könnt auch Badesachen mitbringen.
Es gibt dort einen __________ (h) in der Nähe.

Kommt Ihr? Bitte __________ (i) uns doch bis zum 15. März __________ (j).
Alisa und Leon

P.S. „Wohin soll ich denn kommen?", werdet Ihr Euch jetzt fragen.
Ganz einfach: Die Wegbeschreibung findet Ihr im Anhang.

KB 3

2 Welcher Tag ist heute? Notieren Sie.

STRUKTUREN

Heute ist …

a 03.09. *der dritte Neunte / der dritte September*
b 07.12. __________
c 15.01. __________
d 28.05. __________

KB 3

3 Wann …? Notieren Sie.

STRUKTUREN

a 1. August

b 26. Oktober

c 3. Oktober

d 24. Dezember – 26. Dezember

a Wann ist der Bundesfeiertag in der Schweiz?
Am ersten August __________.
b Wann feiert man den Nationalfeiertag in Österreich?
__________.
c Wann ist der Tag der Deutschen Einheit?
__________.
d Wann feiert man in Deutschland Weihnachten?
__________.

KB 3 STRUKTUREN

4 Ordnen Sie zu.

ab | ~~am~~ | am | bis | bis | für | nach | im | in | um | vom | von

a *Am* Mittwoch hat Isabella Prüfung. Wir treffen uns ________ 17.00 Uhr vor der Schule und wollen ihr gratulieren.
b Frau Stern hat ________ 17. August Geburtstag. ________ 15.00 Uhr ________ 16.00 Uhr gibt es Kaffee und Kuchen in ihrem Büro.
c ________ Juli hat Herr Bellmann Urlaub, ________ 5. Juli ________ zum 19. Juli.
d ________ dem Urlaub zieht er dann mit seiner Familie um.
e ________ vier Wochen ist schon wieder Weihnachten. Und ich habe noch keine Geschenke.
f ________ Montag bin ich ________ drei Wochen im Urlaub.

KB 3 ▶ 2 40–43 HÖREN

5 Was ist richtig? Hören Sie und kreuzen Sie an.

a Am 23. August kann man die Praxis wieder besuchen. ◯
b Luisa schafft es sicher um 15.30 Uhr. ◯
c Der Anrufer wartet noch 10 Minuten vor dem Kino. ◯
d Michi hat am Sonntag keine Zeit. ◯

KB 3 ▶ 2 44 WÖRTER

6 Was feiern die Personen?

a Hören Sie und nummerieren Sie.

◯ Ostern *1* Geburtstag ◯ Weihnachten ◯ Silvester

b Ergänzen Sie aus a und vergleichen Sie.

Deutsch	Englisch	Meine Sprache oder andere Sprachen
_ _ _ h _ _ _ _ _ _ _	Christmas	
_ _ _ _ _ _ _ t _ _	birthday	
_ _ t _ _ _	Easter	
_ _ _ v _ _ _ _ _	New Year's Eve	

KB 4 WÖRTER

7 Was ist das? Ergänzen Sie.

a
Der erste Tag des Jahres heißt ________________.

b
Holger und Katrin wollen im Mai heiraten. Sie haben die ganze Familie und viele Freunde zur ________________ eingeladen.

c
Tobias hat seine ________________ bestanden! Das möchte er groß feiern.

d
Wir haben neue Nachbarn. Am Wochenende machen sie eine ________________.

KB 4 **8 Notieren Sie die passenden Glückwünsche.**

KOMMUNIKATION

a Max wird morgen endlich 18 Jahre alt. Herzlichen Glückwunsch.
b Sie treffen einen Bekannten am 2. Januar auf der Straße. ______
c Ihr Bruder hat seine Führerscheinprüfung bestanden. ______
d Eine Freundin geht für ein Jahr ins Ausland. ______
e Sie treffen eine Nachbarin am 26. Dezember im Treppenhaus. ______

KB 4 **9 Schreiben Sie eigene Aufgaben wie in 8 und tauschen Sie mit Ihrer Partnerin / Ihrem Partner.**

KB 5 **10 Was passt? Ordnen Sie zu.**

STRUKTUREN

a Natascha und Ella singen und schreiben Lieder.
b Klaus hat kein Geld.
c Meine Tochter fährt gern Motorrad.
d Am Freitag spielt unsere Lieblingsband in Berlin und es gibt keine Tickets mehr.

Ich würde ihr gern ein Motorrad schenken.
Wie schade! Wir würden gern zum Konzert gehen.
Aber er würde gern den Führerschein machen.
Sie würden gern eine CD machen.

KB 5 **11 Markieren Sie die Formen von *würd-* in 10 und ergänzen Sie die Tabelle.**

STRUKTUREN ENTDECKEN

Ich	______	
Du	würdest	gern den Führerschein machen.
Er/Es/Sie	______	gern eine CD machen.
Wir	______	ihr gern ein Motorrad schenken.
Ihr	würdet	gern zum Konzert gehen.
Sie/Sie	______	

KB 5 **12 Was sagen die Personen? Schreiben Sie.**

STRUKTUREN

im Wald wohnen | ~~in den Süden fahren~~ | jeden Tag grillen | viel Geld verdienen

a
Ich würde gern in den Süden fahren.

b
______
______

c
______
______

d
______
______

TRAINING: SCHREIBEN

1 Lesen Sie die Einladung und ordnen Sie zu.

Viele Grüße | Liebe Studentinnen und Studenten | Bielefeld, 15 Juni 20..

____

_______________,

am 28. Juli wollen wir das Semesterende feiern.

Wie jedes Jahr wollen wir ein Picknick machen und natürlich viel Spaß haben. Dieses Jahr haben wir auch ein Programm vorbereitet. Wir freuen uns schon sehr!

Wir treffen uns um 10.00 Uhr am Hauptbahnhof und fahren mit Bussen an den Kalmbacher See. Macht Ihr auch dieses Jahr mit? Bitte gebt uns bis zum 30. Juni Bescheid.

____

Josh Weller
Fachschaftsrat – Germanistik

> TIPP
> Sie möchten einen Brief schreiben. Was ist besonders wichtig?
> Vergessen Sie nicht das Datum, die Anrede und den Gruß.
> Vor dem Schreiben: Wie gut kennen Sie den Adressaten? Wollen Sie *du* oder *Sie* sagen?
> Schreiben Sie zu jedem Punkt ein bis zwei Sätze.

2 Antworten Sie auf die Einladung in 1. Schreiben Sie etwas zu den drei Punkten.

- Danken Sie für die Einladung.
- Sagen Sie: Sie kommen gern zu dem Fest.
- Fragen Sie: Sollen Sie etwas mitbringen?

TRAINING: AUSSPRACHE *Neueinsatz*

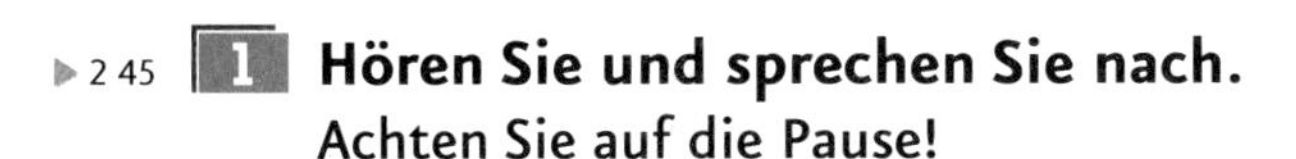

1 Hören Sie und sprechen Sie nach. Achten Sie auf die Pause!

▶ 2 45

a April – im | April
b Ostern – zu | Ostern
c Abend – heute | Abend
d Abschlussprüfung – meine | Abschlussprüfung
e Uhr – acht | Uhr
f Ulm – in | Ulm

2 Ergänzen Sie die Regel.

> REGEL
> Vor Wörtern mit Vokal beginnt man neu. Das heißt: Man macht eine kleine Sprech-_________.

3 Schreiben Sie zuerst die Sätze. Flüstern Sie die Sätze und sprechen Sie sie dann laut.

a amerstenaugustwillichmiteuch meineabschlussprüfungfeiern
b kommtalleumachtuhrzumeinerein weihungsparty
c zuosternbekommtihrkleinegeschenke
d meinefreundinhateinenfreundinulm

▶ 2 46 Hören Sie und vergleichen Sie.

4 Zungenbrecher: Hören Sie.

▶ 2 47

In Ulm und um Ulm und um Ulm herum.

Sprechen Sie: zuerst langsam und dann immer schneller.

TEST

1 Feste und Feiern. Ergänzen Sie die Nomen oder Verben in der richtigen Form.

Wörter

a Bist du schon umgezogen? – Ja. In zwei Wochen ist meine Einweihungsparty.
b Ich ______ dir herzlich zu deinem Geburtstag. – Vielen Dank!
c Tanja und Martin wollen heiraten. – Ja, ich weiß. Die ______ ist im September.
d Wie heißt der letzte Tag des Jahres? – ______.
e Felix hat seine Prüfung ______. – Toll, das freut mich!
f Papa wird nächste Woche 50 Jahre alt. – Was sollen wir ihm ______?
g Wann feiert ihr ______? – Am 24. Dezember.

_ / 6 Punkte

2 Schreiben Sie das Datum in der richtigen Form.

Strukturen

a ■ Welches Datum ist heute? ▲ Der zwölfte. (12.)
■ Wirklich? Dann ist ja morgen Freitag, ______ (13.) .
b ● Meine Mutter feiert nur jedes vierte Jahr Geburtstag.
▲ Warum?
● Sie hat ______ (29.2.) Geburtstag.
c ■ Am Montag habe ich keine Schule.
▲ Ach ja, richtig, das ist ______ (3.10). Das ist ein Feiertag.
d ▲ Fahrt ihr in Urlaub?
■ Ja, ______ (09.–15.08)

_ / 4 Punkte

3 Wünsche. Schreiben Sie Sätze mit *würd-*.

Strukturen

a Bruno würde gern ein Motorrad kaufen.
(Motorrad kaufen/gern)
b Tom, ______?
(du/Fallschirm springen/gern)
c Amelie und Sarah, was ______?
(ihr/machen/gern)
d Meine Eltern ______.
(die neue Ausstellung besuchen/gern)
e Herr Wolf, wo ______?
(Sie/leben/gern)
f Wir ______.
(jeden Tag feiern/gern)

_ / 5 Punkte

4 Ergänzen Sie die Glückwünsche.

Kommunikation

a Liebe Mama, ______ Glückwunsch zum Geburtstag!
b 10, 9, 8, 7, 6, 5, 4, 3, 2, 1 .... Gutes ______!
c Alles ______! Wir hoffen, es geht dir bald besser.
d Liebe Kunden, unser Geschäft ist vom 23.–27.12. geschlossen. Wir wünschen frohe ______!
e Ihr habt 5:1 gewonnen? Gut ______!

_ / 5 Punkte

Wörter	Strukturen	Kommunikation
0–3 Punkte	0–4 Punkte	0–2 Punkte
4 Punkte	5–7 Punkte	3 Punkte
5–6 Punkte	8–9 Punkte	4–5 Punkte

www.hueber.de/menschen/lernen

LERNWORTSCHATZ

1 Wie heißen die Wörter in Ihrer Sprache? Übersetzen Sie.

Feste und Feiern
Fest das, -e ______
Feier die, -n ______
Ostern das ______
A: Ostern die (Pl)
Weihnachten das ______
A: Weihnachten die (Pl)

bestehen, hat bestanden ______
gratulieren, hat gratuliert ______
schenken, hat geschenkt ______

Glückwünsche
Glückwunsch der, ¨-e ______

Alles Gute! ______
Frohe Weihnachten! ______
Gutes / Frohes neues Jahr! ______
Gut gemacht! ______
Herzlichen Glückwunsch! ______

Weitere wichtige Wörter
Bekannte der/die, -n ______
CD die, -s ______

Getränk das, -e ______
Ticket das, -s ______
A: Fahrkarte die, -n
CH: Billet das, -s
Reise die, -n ______
Verwandte der/die, -n ______

antworten, hat geantwortet ______
gewinnen, hat gewonnen ______
um·ziehen, ist umgezogen ______

zufrieden ______

draußen ______
gemeinsam ______

hoffentlich ______
endlich ______
schade ______

TIPP

Notieren Sie wichtige Termine auf Deutsch.

12.04. 70. Geburtstag Opa
25.07. Felix zieht um
22.12. Weihnachtsfeier in der Firma

2 Welche Wörter möchten Sie noch lernen? Notieren Sie.

______
______
______
______
______
______
______
______
______

WIEDERHOLUNGSSTATION: WORTSCHATZ

1 Wie sieht Constanze aus? Ergänzen Sie die Kleidungsstücke.

a Ihre ______________ ist blau.
b Ihr ______________ ist rot.
c Ihr ______________ ist gelb.
d Ihre ______________ ist lila.
e Ihre ______________ sind braun.
f Ihre ______________ ist grün.

2 Rätsel

a Lesen Sie die Sätze und ergänzen Sie die Tabelle. Zu drei Feldern gibt es keine Information.

1 Carla hat am 14. November Geburtstag.
2 Hannah macht dieses Jahr Urlaub in Schweden. Sie hat schon einen Reiseführer gekauft.
3 Julia liebt Strumpfhosen. Sie trägt sie immer, auch im Sommer.
4 Beate wohnt seit Januar in der Schweiz, in Bern. Sie hat am 5. Februar Geburtstag.
5 Eine Frau zieht nicht gern Hosen an. Sie lebt in Hamburg und macht Urlaub in Dänemark.
6 Eine Frau macht Urlaub in Frankreich. Sie ist elegant und trägt gerne einen Hut.
7 Julia wohnt in Rom.
8 Eine Frau hat am 9. April Geburtstag. Es ist nicht Hannah.
9 Eine Frau wohnt in Wien. Sie trägt nur Hosen.

Name	Carla	Hannah	Julia	Beate
macht Urlaub in ...				
hat am ... Geburtstag	14.11.			
trägt gern ...				
wohnt in ...				

b Beantworten Sie die Fragen.
Wer hat am 29. August Geburtstag? Wer macht Urlaub in Spanien? Wer trägt gern Röcke?

3 Wie ist das Wetter? Ordnen Sie zu.

a *Ist es windig?*
Ja, | es ist | schneit.
Nein, | es | sonnig.

b *Ist es kalt?*
Ja, | es sind | windig und neblig.
Nein, | es ist | warm.

25 °C

c *Scheint die Sonne?*
Ja, | es gibt | 27 Grad.
Nein, | es sind | Wolken.

d *Regnet es?*
Ja, aber | es | neblig und bewölkt.
Nein, aber | es ist | donnert und blitzt.

4 Ergänzen Sie die SMS.

a
Hallo Ihr Lieben,
Frohe
____
und ein gutes neues
______________!

b
Eine 2 in der
Englisch-Prüfung?
Gut ______________!

c
Lieber Ben, alles
____
zum 30. Geburtstag!

d
Herzlichen
____
zum Baby! Wir
besuchen Euch bald.

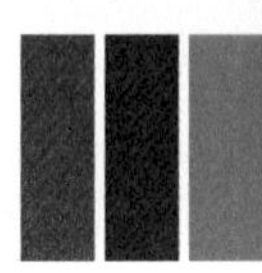

WIEDERHOLUNGSSTATION: GRAMMATIK

1 Vergleichen Sie und schreiben Sie Sätze.

a Montag: 16° – Dienstag: 18° – Mittwoch: 22°
Am Dienstag ist es wärmer als am Montag. Am Mittwoch...

b + ++ +++

Ich ______________________________. (mögen)

c Simon Daniel Tom

______________________________. (groß sein)

d

Die Bluse ______________________________. (kosten)

2 Sehen Sie den Kalender an. Lesen Sie die E-Mail und achten Sie auf die Ordinalzahlen. Ordnen Sie dann zu.

1 Montag	2 Dienstag	3 Mittwoch	4 Donnerstag	5 Freitag	6 Samstag	7 Sonntag
Frei! Juhu! ——Lübeck——>			Albert wird 50!	Dr. Schön. 9.00 Uhr	Wochenende!	

Geburtstag | Treffen | Reise | ~~Feiertag~~ | Termine | Zahnarzttermin | Maiwoche

Liebe Franziska,
wann können wir uns in Berlin treffen? Wann hast Du Zeit im Mai? Ich schreibe Dir mal meine Termine: Der erste Mai ist ein *Feiertag* (a) und ich mache bis zum zweiten Mai eine __________ (b) nach Lübeck. Am vierten ist der __________ (c) von meinem Mann und am fünften habe ich einen __________ (d). Die erste __________ (e) ist also schlecht für ein __________. Aber ab dem sechsten habe ich keine __________ (f). Da können wir uns treffen. Hast Du da Zeit?
Viele Grüße
Karina

3 Was würden die Personen gern machen? Schreiben Sie Sätze.

im Meer baden | ~~tanzen~~ | in Urlaub fahren | am See grillen

a *Niko und Lina würden gern tanzen.*

b Ich ____________________

c Felix ____________________

d Wir ____________________

SELBSTEINSCHÄTZUNG Das kann ich!

Ich kann jetzt ...

... Kleidung bewerten: L22
- ■ Welches Kleid ______________ du am schönsten?
- ▲ Das hier. Und du?
- ■ Mir ______________ das hier besser.

... Kleidung beschreiben: L22
M________ Lieblings-T-Shirt ___________ ich bei einem Konzert gekauft.
Ich t___________ es oft. Zuletzt h___________ ich es letzten Montag an.

... Aussagen verstärken: L22
- ■ Wow, hast du das Kleid schon gesehen? T___________ schön.
- ▲ Was? Das gefällt dir? Das ist doch w______________ langweilig.
- ● Aber seht mal, das hier ist r______________ toll.

... Gründe angeben: L23
Unser Ziel war Südtirol, ___________ dort ist es im März schon oft sehr warm.

... über das Wetter sprechen: L23
25°C
- ■ ___________ ist das Wetter bei euch?
- ▲ Super, ________________________________ scheint und es ist _______________.

... über Wünsche sprechen: L24
________ würdest du am liebsten jeden Tag m____________?
Ich ____.
(gern meinen Geburtstag feiern)

... gratulieren: L24
F__________ W_________________________! / H_____________
G_______________! / A__________ G_________!

Ich kenne ...

... 8 Kleidungsstücke: L22
Diese Kleidungsstücke habe ich oft an/mag ich:
____
Diese Kleidungsstücke habe ich nie an/mag ich nicht so:
____

... 6 Wörter zum Thema Wetter: L23
So mag ich das Wetter: ____
So mag ich das Wetter nicht: ____

... die 4 Himmelsrichtungen: L23
____

... 5 Wörter zum Thema Feste und Feiern: L24
Feste: ____
Verben: gra_________________, sch____________________, fei_______________

SELBSTEINSCHÄTZUNG *Das kann ich!*

Ich kann auch ...

... Kleidung bewerten (Komparation): L22

____________ (+++, gut) findet sie seine Schuhe.
Maike mag ____________ (++, gern) Beige als Lila.
Dein T-Shirt ist ja noch ____________ (++, alt) als das von Marco.

... Kleidung vergleichen (genauso ... wie, als): L22

Lila (+) mag sie ________ gern ______ Rosa (+).
Das Hemd (++) gefällt ihr besser ______ die Hose (+).

... sagen, wie etwas ist (Adjektive bilden): L23

Ohne ...: Der Himmel ist wolken ______.

... Gründe angeben (Konjunktion: denn): L23

Nächstes Jahr fahren wir lieber ans Mittelmeer. Dort ist es auch im Herbst noch schön warm. *Nächstes Jahr ...* ____________,
denn ____________.

... das Datum angeben (Ordinalzahlen): L24

Welcher Tag ist heute? ____________. (7. September)
Wann hast du Geburtstag? ____________. (16. Juli)

... Wünsche angeben (Konjunktiv II: würde): L24

ins Kino / einladen / würde / ich / dich / gern:
____________.

Üben / Wiederholen möchte ich noch ...

____

RÜCKBLICK

Wählen Sie eine Aufgabe zu Lektion 22

1 Lesen Sie noch einmal den Forumsbeitrag von Marco im Kursbuch auf Seite 59. Schreiben Sie einen Kommentar.

Ich finde dein T-Shirt ... | Super / Nicht so gut finde ich ... | ...

2 Haben Sie auch ein Lieblingskleidungsstück? Schreiben Sie einen Beitrag im Forum.

Mein/e Lieblingspullover / Lieblings... ist ... Jahre alt.
Ich habe ihn/sie/es ... gekauft. / Er/Sie/Es ist ein Geschenk von ...
Ich finde ihn/sie/es ...
...

RÜCKBLICK

Wählen Sie eine Aufgabe zu Lektion 23

1 Lesen Sie noch einmal die Blogbeiträge im Kursbuch auf Seite 62 und ergänzen Sie die Tabelle.

	Tom und Hanna	Familie Encke	Beat, Karla und Franca
Wo waren die Personen?	Südtirol		
Was waren die Probleme? / Was ist passiert?	15 Zentimeter Neuschnee bei minus zwei Grad		

2 Ins Wasser gefallen? Schreiben Sie einen Beitrag in einem Blog zu einem Problemurlaub. Machen Sie zuerst Notizen zu folgenden Punkten:

Wo waren Sie?
Was waren die Probleme? /
Was ist passiert?

Wählen Sie eine Aufgabe zu Lektion 24

1 Lesen Sie noch einmal den Tagebucheintrag von Alisa im Kursbuch auf Seite 66 und beantworten Sie die Fragen.

a Was hat Alisa gefeiert? ______
b Wann hat sie gefeiert? ______
c Wo hat sie gefeiert? ______
d Wer hat mitgefeiert? ______

2 Was haben Sie zuletzt gefeiert? Schreiben Sie einen Tagebucheintrag. Machen Sie zuerst Notizen.

– Was haben Sie gefeiert?
– Wann haben Sie gefeiert?
– Wo haben Sie gefeiert?
– Wer hat mitgefeiert?
– Was haben Sie gemacht?
– Was hat Ihnen besonders gefallen / nicht gefallen?

WIEDERSEHEN IN WIEN

Teil 4: Ein schöner Abend, oder?

Paul und Anja klingeln. Lisa öffnet die Tür.

„Hallo Paul, hallo Anja! Kommt rein. Es sind schon viele Leute da. Na, und wer bist du?"

Herr Rossmann bellt.

„Das ist Herr Rossmann."

„Hallo Herr Rossmann, komm auch rein!"

„Alles Gute zum Geburtstag, Lisa!", sagt Paul und gibt ihr die Blumen.

„Oh, danke, die sind schön. Das ist sehr nett von dir, Paul." Sie lächelt. „Ich zeige euch gleich mal die Wohnung."

„Wow, die ist wirklich super", sagt Anja.

„Und so groß."

„Ich brauche auch eine große Wohnung", sagt Lisa. „Ich möchte gern bald eine Familie haben. Ich liebe Kinder."

„Kinder?", fragt Paul. „Bist du ...?"

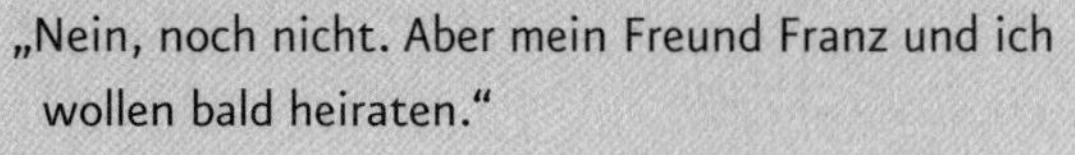

„Nein, noch nicht. Aber mein Freund Franz und ich wollen bald heiraten."

„Oh ..."

Paul und Anja setzen sich auf ein Sofa und trinken etwas. Sie hören der Musik zu und sehen die anderen Leute an.

Dann sagt Anja: „Lisa hat einen Freund. Bist du traurig?"

„Nein."

„Doch."

„O.K., ein bisschen vielleicht", sagt Paul.

„Weißt du was? Gehen wir spazieren."

„Gute Idee!"

Es ist warm, der Himmel ist klar, der Mond scheint. Sie gehen an der Oper vorbei und dann durch die Kärntner Straße.

„Ist der Stephansdom nicht schön in der Nacht?", fragt Anja.

„Oh ja, sehr schön."

„Bist du noch traurig?"

„Nein, eigentlich nicht."

„Wirklich?"

„Ja, wirklich."

Paul sieht Anja an.

‚Was war nur los mit mir?', denkt er. ‚Warum habe ich Lisa so super gefunden? Sie ist nett, ja, und sie ist auch hübsch. Aber eigentlich ... finde ich Anja viel toller.'

Herr Rossmann bellt.

„Ja, genau, Herr Rossmann, das findest du auch, oder?"

„Was findet Herr Rossmann auch?", fragt Anja.

„Oh, nichts ..." Paul wird rot.

„Ein schöner Abend, oder?", sagt er und lächelt Anja an.

Sie lächelt zurück.

„Ja, wirklich ein schöner Abend ..."

GRAMMATIKÜBERSICHT

Nomen

Genitiv bei Eigennamen L14

Ottos Nachbarin	=	die Nachbarin von Otto
Vanillas Garten	=	der Garten von Vanilla

Artikelwörter und Pronomen

Possessivartikel sein/ihr L14

	Nominativ		Akkusativ		
	Da ist ...		Ich mag ...		
	♂	♀	♂	♀	
• Garten	sein	ihr	sein**en**	ihr**en**	Garten.
• Haus	sein	ihr	sein	ihr	Haus.
• Küche	seine	ihre	seine	ihre	Küche.
	Da sind ...		Ich mag ...		
• Kinder	seine	ihre	seine	ihre	Kinder.

auch so bei: finden, ...

Personalpronomen im Dativ L15

Nominativ	Dativ
ich	mir
du	dir
er/es	ihm
sie	ihr
wir	uns
ihr	euch
sie/Sie	ihnen/Ihnen

Personalpronomen im Akkusativ L20

Nominativ	Akkusativ
ich	mich
du	dich
er/es/sie	ihn/es/sie
wir	uns
ihr	euch
sie/Sie	sie/Sie

Ich komme um 10 Uhr an. Holst du mich bitte ab?

Verben

Verben mit Dativ L15

Das	gehört	mir.
Das	gefällt	dir.
Das	hilft	ihm.
Ich	danke	ihr.

Verwendung von Imperativ und sollen L18

direkt:
Schwester Angelika: „Geben Sie ihm diesen Tee!"

indirekt:
Schwester Angelika sagt, ich soll dir diesen Tee geben.

Imperativ Sie L18

Trinken Sie viel!
Gehen Sie zum Arzt!

Imperativ Du/ihr L20

	du	ihr
decken	Deck ...!	Deckt ...!
schlafen	Schlaf ...!	Schlaft ...!
vergessen	Vergiss ...!	Vergesst ...!
aus|räumen	Räum ... aus!	Räumt ... aus!
! sein	Sei ...!	Seid ...!
! haben	Hab ...!	Habt ...!

Modalverb wollen L17

ich	will
du	willst
er/sie/es	will
wir	wollen
ihr	wollt
sie/Sie	wollen

Modalverb sollen L18

ich	soll
du	sollst
er/es/sie	soll
wir	sollen
ihr	sollt
sie/Sie	sollen

Modalverben dürfen und müssen L21

	dürfen	**müssen**
ich	darf	muss
du	darfst	musst
er/es/sie	darf	muss
wir	dürfen	müssen
ihr	dürft	müsst
sie/Sie	dürfen	müssen

Präteritum: sein und haben L19

	Präsens	**Präteritum**	**Präsens**	**Präteritum**
ich	bin	war	habe	hatte
du	bist	warst	hast	hattest
er/es/sie	ist	war	hat	hatte
wir	sind	waren	haben	hatten
ihr	seid	wart	habt	hattet
sie/Sie	sind	waren	haben	hatten

Perfekt: nicht trennbare Verben L19

Infinitiv	**Präsens (heute)**	**Perfekt (früher)**
		haben +be/ge/ver...en/t
erkennen	er/sie erkennt	er/sie hat erkannt
bekommen	er/sie bekommt	er/sie hat bekommen

auch so: gefallen – gefallen, vergessen – vergessen, entschuldigen – entschuldigt, beschweren – beschwert
auch so nach: ent-, emp-, miss-, zer-

Wünsche: Konjunktiv II L24

ich	würde	
du	würdest	
er/es/sie	würde	gern mit dir feiern
wir	würden	
ihr	würdet	
sie/Sie	würden	

GRAMMATIKÜBERSICHT

Präpositionen

Wo? → Lokale Präpositionen mit Dativ L13

Nominativ		Dativ	
Da ist....	Wo ist das Hotel? Es ist...	**definiter Artikel**	**indefiniter Artikel**
• der/ein Dom.	neben	dem Dom.	einem Dom.
• das/ein Café.	neben	dem Café.	einem Café.
• die/eine Post.	neben	der Post.	einer Post.
Da sind...			
die / – Banken/Häuser.	neben	den Banken/ Häusern	– Banken/Häusern.

auch so: auf, an, vor, hinter, zwischen, über, unter, in

! in dem = im an dem = am

temporale Präpositionen vor, nach, in + Dativ L16

	Wann?	
•	vor/nach/in	einem Monat
•		einem Jahr
•		einer Stunde
•		zwei Wochen

temporale Präposition für + Akkusativ L16

	(Für) Wie lange?	
•	für	einen Tag
•		ein Jahr
•		eine Woche
•		zwei Wochen

Präpositionen mit und ohne L17

ohne	+ Akkusativ	ohne das/ mein Handy
mit	+ Dativ	mit dem/ meinem Handy

Konjunktionen

Konjunktion denn L23

Es war wunderbar, denn wir hatten ein Traumwetter.

Sätze

Modalverben im Satz L17/L18/L21

Ich	will	Liedermacher	werden.
Du	sollst	diesen Tee	trinken.
Man	muss	in der Bibliothek leise	sein.
Man	darf	im Bus nicht	essen.

Adjektive

Komparation: gut, gern, viel L22

Positiv	Komparativ	Superlativ
+	++	+++
gut	besser	am besten
gern	lieber	am liebsten
viel	mehr	am meisten

Komparation: andere Adjektive L22			
Positiv	**Komparativ**	**Superlativ**	
+	++ + -er	+++ **am ...-(e)sten**	
lustig	lustiger	am lustigsten	
alt	älter	am ältesten	-d/-t/-s/-z: + esten
groß	größer	am größten	
klug	klüger	am klügsten	

oft bei einsilbigen Adjektiven: L22

a → ä: alt / älter / am ältesten
o → ö: groß / größer / am größten
u → ü: kurz / kürzer / am kürzesten

Vergleiche: als, wie L22

Lila (+) mag sie genau**so** gern **wie** Rosa (+).
Das Hemd (++) gefällt ihr besser **als** die Hose (+).

Wortbildung

Wortbildung: Adjektive mit un- L19

☺ sympathisch ☹ unsympathisch

Adjektive -los L23		
	Nomen	**Adjektiv**
Nomen + **-los**	die Wolken	wolken**los** (= ohne Wolken)

Zahlwörter

Ordinalzahlen: Datum L24

Heute ist der achte Januar.

1.-19.: + -te:	**ab 20.: + -ste:**
der erste	der zwanzigste
der zweite	der einundzwanzigste
der dritte	....
der vierte	
der fünfte	
der sechste	
der siebte	
der achte	
der neunte	
...	

Wann? L24

Am achten Januar.
Vom achten bis (zum) achtzehnten Januar.

LÖSUNGSSCHLÜSSEL TESTS

Lektion 13

1 **b** Post **c** Bahnhof **d** Stadtmitte **e** Bank **f** Stadtplan

2 **b** biegen **c** links **d** Kilometer **e** rechts **f** Brücke **g** Ampel

3 **b** neben der **c** vor dem **d** in der **e** hinter der **f** über der

4 **1 a** Können **b** helfen **c** suche **d** Fahren **e** sehen **f** Sehr nett **2 a** fragen **b** Tut, leid **c** Trotzdem

Lektion 14

1 **b** Wohnung **c** Toilette **d** Schlafzimmer **e** Wohnzimmer **f** Kinderzimmer **g** Garten

2 **b** ihre **c** ihr **d** Seine **e** sein **f** seinen **g** ihre

3 **b** Marias **c** Wolfgangs **d** Carlas

4 **a** es ist sehr schön hier **b** mag ich gar nicht **c** die Idee ist cool **d** sieht wirklich toll aus **e** sie sind hässlich **f** das ist langweilig

Lektion 15

1 **b** Kindergarten **c** Jugendherberge **d** Turm **e** Bibliothek **f** Park

2 **b** dir **c** Ihnen **d** euch **e** ihm **f** mir

3 **a** Hier ist **b** gefällt mir gut **c** das ist schon okay **d** das ist nicht so toll **e** Hier gibt es viele

Lektion 16

1 **b** Klimaanlage **c** Internetverbindung **d** Fernseher **e** Dusche

2 **b** pünktlich **c** lustig **d** kalt

3 **b** nach **c** für **d** vor **e** Nach

4 **b** dem **c** einem **d** einen

5 **1** Was kann **2** Es gibt **3** Das tut **4** Ich kümmere **5** Das ist

Lektion 17

1 **b** Führerschein **c** Sängerin **d** Geld **e** Welt **f** Wunsch **g** Fremdsprachen

2 **b** mit einer **c** ohne seine **d** mit ihrem **e** ohne sein

3 **b** wollt ihr heiraten **c** wollen Sie lernen **d** willst du werden

4 **a** auf keinen Fall **b** vielleicht **c** unbedingt **d** auf keinen Fall **e** unbedingt

Lektion 18

1 **b** Rücken **c** Augen **d** Beine **e** Füße **f** Hände **g** Ohren **h** Finger

2 **b** Nehmen Sie eine Tablette und trinken Sie viel Tee. **c** Bleiben Sie zu Hause und sagen Sie alle Termine ab. **d** Essen Sie Obst und machen Sie Sport.

3 **b** sollt, **c** soll, **d** Soll, **e** sollen, **f** sollst

4 Seit Monaten habe ich Rückenschmerzen., Haben Sie einen Tipp? – Machen Sie viel Sport., Gehen Sie in die Apotheke und holen eine Salbe gegen Schmerzen., Dann fragen Sie den Arzt.

Lektion 19

1 **b** kurze **c** Haare **d** hübsch **e** Bart **f** Locken

2 **a** Hattest **b** Ist, war **c** war, bin **d** wart, hatten

3 **b** gekommen **c** vergessen **d** gesagt **e** entschuldigt **f** getanzt **g** erkannt

4 **a** Ach was! **b** Echt? **c** Ach komm! **d** Wahnsinn! **e** Ach du liebe Zeit!

Lektion 20

1 die Wäsche aufhängen – das Geschirr abtrocknen – den Müll rausbringen – das Bett machen – den Boden wischen – den Tisch decken

2 **a** putz **b** räumt…aus, deckt, vergesst **c** Sei **d** spült, bringt…raus

3 **b** Euch **c** ihn **d** uns **e** dich **f** sie

4 **b** Kommt bitte um 10 Uhr! **c** Sei bitte so nett **d** Macht bitte das Fenster zu! **e** Sprecht bitte auf den Anrufbeantworter! **f** Mach bitte Kaffee!

Lektion 21

1 **a** grillen **b** tragen **c** schieben, achten, nehmen **d** hupen

2 **b** dürfen **c** können **d** müssen **e** können **f** dürfen

3 **b** müsst **c** muss **d** Dürfen **e** müssen

4 **a** Das ist falsch. **b** Das ist ja wirklich sehr gefährlich, oder? **c** Das finde ich gar nicht gut. **d** Diese Regel ist in Ordnung.

Lektion 22

1 **a** Jacke **b** Socken **c** Gürtel, Hose **d** Kleid **e** Pullover **f** Bluse **g** Hut

2 **a** größer, am größten **b** gern, am besten **c** älter **d** am liebsten **e** besser **f** lieber

3 **b** als **c** wie **d** als **e** wie

4 **a** viel praktischer **b** am besten **c** total schön **d** wahnsinnig teuer **e** fast täglich **f** wie langweilig

Lektion 23

1 **a** regnet **b** scheint, warm **c** Himmel, Wolken **d** Sturm **e** neblig, Grad

2 **b** kostenlos **c** wolkenlos **d** farblos **e** arbeitslos

3 **b** unsere Oma ist krank **c** der Aufzug funktioniert nicht **d** er hat eine neue Wohnung gefunden

4 ich habe Geburtstag – deine Partys sind immer lustig – ich schreibe am Montag eine Prüfung – ich arbeite am Wochenende – ich backe gern – der Schnee ist traumhaft

Lektion 24

1 **b** gratuliere **c** Hochzeit **d** Silvester **e** bestanden **f** schenken **g** Weihnachten

2 **a** der dreizehnte **b** am neunundzwanzigsten Februar **c** der dritte Oktober **d** vom neunten bis zum fünfzehnten August

3 **b** würdest du gern Fallschirm springen **c** würdet ihr gern machen **d** würden gern die neue Ausstellung besuchen **e** würden Sie gern leben **f** würden gern jeden Tag feiern

4 **a** herzlichen **b** neues Jahr **c** Gute **d** Weihnachten **e** gemacht

QUELLENVERZEICHNIS

Cover: © Getty Images/Pando Hall
Seite 11: Hand © fotolia/Aaron Amat
Seite 12: c © iStockphoto/milosluz; d © iStockphoto/deepblue4you; e © iStockphoto/phant
Seite 14: © Thinkstock/iStock/jacek_kadaj
Seite 17: von oben © PantherMedia/Andreas Jung; © fotolia/Baumeister; © PantherMedia/Hans Pfleger; © fotolia/Mike Kiev; © fotolia/mrfotos; ©PantherMedia/Andreas Jung; © iStockphoto/Tree4Two; © PantherMedia/Andreas Jung; © iStockphoto/suprun (3)
Seite 18: Seitenleiste © PantherMedia/buongiorno; 2: a © PantherMedia/Colette Planken-Kooij; b © fotolia/view7; c und d © digitalstock; e © fotolia/Mike Kiev; f © fotolia/Composer
Seite 19: © Thinkstock/iStock
Seite 21: von links © iStockphoto/kgelati1; © fotolia/blue-images.net; © iStockphoto/xyno; © digitalstock
Seite 23: von oben © PantherMedia/Erich Teister; © PantherMedia/Michael Kupke; © fotolia/Ralf Gosch; © fotolia/view7; © digitalstock; © iStockphoto/Grafissimo; © iStockphoto/xyno; © PantherMedia/Colette Planken-Kooij; © fotolia/blue-images.net; © digitalstock (2); © iStockphoto/Nikada
Seite 26: © fotolia/kameraauge
Seite 29: Hintergrund © PantherMedia/Peter Wienerroither
Seite 32: © Thinkstock/iStock/golubovy
Seite 33: Fotos oben von links © iStockphoto/eldadcarin; © iStockphoto/ollo; © iStockphoto/zentilia; © fotolia/seen; © fotolia/Daniel Hohlfeld; © iStockphoto/mpalis; Fotos unten von links © iStockfoto/gmutlu; © PantherMedia/Doris Heinrichs; © fotolia/Klaus Eppele; © iStockphoto/phant
Seite 35: von links © fotolia/ketrin; © fotolia/Franz Pfluegl
Seite 38: von oben © iStockphoto/holicow; © fotolia/Janina Dierks; © fotolia/absolut
Seite 47: von oben © iStockphoto/STEVECOLEccs; © digitalstock; © iStockphoto/idal; © digitalstock; © fotolia/Jürgen Fälchle; © iStockphoto/lenad-photography; © PantherMedia/tom scherber; © fotolia/Sandor Jackal; © PantherMedia/Monkeybusiness Images; © PantherMedia/Dieter Beselt; © PantherMedia/Brigitte Götz; © fotolia/PhotoSG
Seite 48: © fotolia/philipus
Seite 49: Handy © fotolia/Timo Darco
Seite 53: Hintergrund © fotolia/david hughes
Seite 72: von links © iStockphoto/TristanH; © Pitopia/ricofoto; © fotolia/Reinhold Föger; © PantherMedia/Karl-Heinz Spremberg; © Alexandra Kleijn
Seite 77: Hintergrund © iStockphoto/matthewleesdixon
Seite 83: von oben © PantherMedia/Ruth Black; © iStockphoto/cookelma; © iStockphoto/ARSELA; © iStockphoto/sumnersgraphicsinc; © iStockphoto/lepas2004; © fotolia/Alexandra Karamyshev; © Pitopia/PeJo; © fotolia/Alexandra Karamyshev; © fotolia/Alexandra Karamyshev; © PantherMedia/Andreas Münchbach; © fotolia/Alexandra Karamyshev; © iStockphoto/Pakhnyushchyy; © iStockphoto/dendong; © iStockphoto/kycstudio; © iStockphoto/cookelma;
Seite 84: A © PantherMedia/Markus Gann; B ©iStock/mthaler; C © PantherMedia/danielwagner
Seite 89: von oben © iStockphoto/ooyoo; © PantherMedia/Jenny Sturm; © fotolia/Stas Perov; © iStockphoto/konradlew; © digitalstock; © PantherMedia/Liane Matrisch; ©iStockphoto/clintspencer; © fotolia/sellingpix; © fotolia/kathik; © fotolia/Andrzej Tokarski; Thermometer © iStockphoto/Mervana
Seite 90: a © Pitopia/Thyrsus; b © digitalstock/D. Schneider; c © iStockphoto/queerbeet; d © iStockphoto/yenwen
Seite 101: Hintergrund © fotolia/Tomas Sereda

Alle übrigen Fotos: Florian Bachmeier, Schliersee
Bildredaktion: Iciar Caso, Hueber Verlag, München